2 生活篇 Living in C

CONFIDENCE

信 心 汉 语

【生活篇】

Confidence Chinese

Volume 2

living in China

Editors in Chief : Tong YAN   Meixia ZHANG
Authors: (FCO: Serviced: Language Training)
Tong YAN
(Nanjing Normal University, China)
Yina DUAN   Shehui LIANG   Lijuan WANG
Heng ZHANG   Meixia ZHANG
(in alphabetical order of their surnames)
(FCO: Serviced: Language Training)
Stephen Ding

 Cypress Book Co. UK Ltd.

 高等教育出版社
Higher Education Press

Confidence Chinese Vol.2 Living in China

By Tong Yan, Meixia Zhang, Yina Duan, Shehui Liang, Lijuan Wang, Heng Zhang, Stephen Ding

Editors: Jin Feifei, Ju Hui, Thelma Howell, Zhang Meixia
Cover Design: Caiqifeng

First published in Great Britain in 2007 by Cypress Book Co. UK Ltd.
13 Park Royal Metro Centre
Britannia Way
London NW10 7PA
02084530687
02084530709 (Fax)

Find us at www.cypressbooks.com

ISBN 978-1-84570-022-5

Printed in China

Foreign & Commonwealth Office
FCO Services

FCO Services is an executive agency of the British Foreign & Commonwealth Office (FCO) based in London. FCO Services: Language Training supports the FCO in promoting the UK's national interests and contributes to a strong world community by delivering language services at world-class levels of quality and effectiveness. It provides specialist programmes for diplomats and other government personnel in up to 85 foreign languages at all levels of proficiency, from beginners to near-native speaker level.

英国外交部服务中心是总部位于伦敦的英国外交部的执行机构。外交部服务中心通过提供优质高效的语言服务支持外交部的运行，以推进英国国家利益的实现，并为国际社会的强大做出贡献。英外交部服务中心为外交人员和其他政府工作者提供专业化的语言培训，培训项目涵盖多达85种语言，包括从入门到接近母语熟练程度的各种级别。

高 等 教 育 出 版 社
Higher Education Press

The publication of *Confidence Chinese* is attributed to the joint efforts of Cypress Book Co. UK Ltd. and Higher Education Press (Group) P. R. China. Two editions have been produced: the UK edition is published and distributed by Cypress Book Co. UK Ltd. within the territory of the United Kingdom and the co-edition in the same language by High Education Press (Group) P. R. China worldwide exclusively (except in the United Kingdom). Related design and production is undertaken by Higher Education Press (Group) P. R. China.

To order them outside the territory of the United Kingdom, please contact:

Higher Education Press
Floor 23 of the Fortune Tower
4 Huixin Dongjie, Chaoyang District
Beijing 100029, P. R. China
Contact: Mr. Wang Chao
Tel.: 008610-58581350 (58581352)
Fax: 008610-58556014
E-mail: xp@hep.com.cn
Website: www.chinesexp.com.cn

FOREWORD

We are delighted to present to you *Confidence Chinese Volume 2: Living in China*. It is a textbook written for those who have learnt *Confidence Chinese Volume 1: Getting Started* or equivalent. It can be used as a course-book for learners in universities, schools, language programmes and for private learning.

Confidence Chinese: Volume 2 is designed to develop learners' listening and speaking skills for living in China. It is based on our in-house Confidence Level Mandarin Chinese language training course for diplomatic staff who will be posted to work in the British Embassy, consulates and offices in China.

Confidence Chinese: Volume 2 aims to involve you, the learner, as much as possible in the learning process. You will find interesting and authentic materials that are relevant to everyday communicative needs. The materials cover a wide range of topics and situations such as: visiting friends, shopping, taking taxi/bus, renting house, booking tickets and so on. The textbook will make your learning easy, interesting and enjoyable. You will build up your confidence and ability to communicate with every chapter.

Confidence Chinese: Volume 2 is jointly produced by the experienced Chinese teachers in language training of the British Foreign and Commonwealth Office (FCO, equivalent to a Ministry of Foreign Affairs) and the International College for Chinese Studies, Nanjing Normal University, China.

We would like to take this opportunity to give our sincere thanks to all the people involved in this project, and particularly the following people:

The authors:

Mr Tong Yan, FCO Services: Language Training

Professor Meixia Zhang: Nanjing Normal University, China

Ms Yina DUAN, Mr Shehui LIANG, Ms Lijuan WANG and Ms Heng ZHANG (in alphabetical order of their surnames): Nanjing Normal University, China

The consultant editor:

Dr Thelma Howell: independent consultant editor for English, French and Chinese languages

We would also like to give our special thanks to Cypress Books Ltd and Higher Education Press for their invaluable advice and support during the development of the project.

FCO Services: Language Training
Foreign and Commonwealth Office

The International College for Chinese Studies,
Nanjing Normal University, China

December 2007

前　言

　　《信心汉语》第二册"生活篇"终于与大家见面了。本书以英国外交部语言培训中心的外交人员内部培训课程为基础，由英国外交部语言培训中心与南京师范大学国际文化教育学院的资深汉语教师共同倾力打造而成。作为第一册"信心篇"的姊妹篇，"生活篇"是专门为学习过第一册或水平相当的学习者量身定做的。它可以作为大学、中学、语言培训机构的教材，还可供自学者使用。

　　"生活篇"旨在提高学习者在中国生活所需的汉语听说技巧。为吸引学习者充分融入到学习过程中，本书所选语料生动、地道，内容涵盖从"做客"、"购物"、"乘车"到"租房"、"订票"等多种与日常交际生活紧密相关的话题及情景。本书努力使汉语学习变得简单、有趣，让学习者充分享受学习的过程。每一单元都能从某一角度帮助学习者建立用汉语交际的信心，从而有效地提高交际能力。

　　值本书出版之际，我们要向所有参与本套教材编写及出版工作的各位人员致谢。首先感谢两位主编——英国外交部语言培训中心的严彤先生和南京师范大学的张美霞女士，同时感谢其他参编的老师，他们是南京师范大学的段轶娜、梁社会、王丽娟、张珩（按音序排名）。此外，英国的Thelma Howell 博士作为英语、法语及汉语的独立咨询顾问编辑为本教材的编写工作提供了诸多帮助；英国常青图书公司和中国高等教育出版社在本教材的编写过程中给予了宝贵建议及大力支持，在此一并致以诚挚的谢意。

英国外交部语言培训中心

南京师范大学国际文化教育学院

2007年12月

Contents

Introduction

Contents

INTRODUCTION

<u>About the textbook:</u>

Confidence Chinese Volume 2: Living in China is designed to develop learners' listening and speaking skills for living in China. It introduces 421 new words and expressions (which learners are expected to recognise and be able to use) and nearly 500 items of extended vocabulary (useful words and expressions for reference only). These cover a range of situations such as booking a tennis court by telephone, chatting in a teahouse, or explaining things to a domestic worker at home. Many language functions are practised in the situational dialogues including giving an instruction, making a complaint, showing certainty or uncertainty. The textbook also gives some cultural tips and introduces 95 characters for writing practice.

<u>Content structure:</u>

The textbook includes 25 chapters, 2 revisions, transcript for listening practice, vocabulary list, and a recorded CD. Each chapter is structured as follows:

- Topic (title of each chapter)
- Learn to (summary of what students are expected to learn)
- New words and expressions
- Dialogue
- Language notes
- Useful words and expressions
- Tasks
- Cultural tips
- Character writing

<u>Key features:</u>

- *Confidence Chinese* is a communication-oriented and task-based textbook.
- Real-life communication situations are provided.
- Authentic language materials are selected for both learning and practising vocabulary and usage.
- Grammar rules are introduced where necessary to help you understand and use the language better.
- Other useful words and expressions are provided for reference and further study.
- Cultural information is supplied to enhance the understanding of each topic.

Notes on how to use the book:

For learners:

- Set a realistic daily study goal, for it may take you about 80–100 hours to complete this volume in classroom teaching.
- Try to practise what you learn as much as you can both in and out of class, as the more frequently you are exposed to the language the better the results will be.
- Listen to the recorded materials both when preparing to study a new chapter and again when you have finished the lesson.
- Learn the new words and expressions in each chapter's vocabulary list, and use them in practice.
- Imagine more situations where you think the language may be needed.
- Use as much language information as you can from the wider list of words and expressions to complete the tasks.
- Use the revision chapters to consolidate what you have learnt.

For teachers:

- First read the textbook from beginning to end in order that you understand the overall plan adopted in this textbook.
- Make full use of the tasks provided in the textbook for practice and add further practice materials of your own to reinforce the learning process.
- Do not give grammatical explanation unless it is necessary to help students have a better understanding.
- 80–100 teaching hours are recommended if you plan to use this textbook for your course.
- The course focuses on listening and speaking skills. Character writing practice can be arranged as students require.
- Make use of the two revision chapters to sum up the contents of the previous lessons.

We hope to soon publish *Confidence Chinese Volume 3: Working in China* which will complete this course of practical Chinese for those who need the language daily for basic communication.

内容简介及使用说明

《信心汉语》第二册"生活篇"旨在提高学习者在中国生活所需的汉语听说技能。全书包含421个学习者必须掌握的词汇和短语以及接近500个仅供参考的扩展词汇和表达方式。本教材包括一系列情景话题，如"打电话预订网球场"、"在茶馆聊天"、"向家政人员讲解"等。这些情景对话将练习"指导"、"发牢骚"、"肯定"和"不确定"等多个功能。教材还介绍了一些文化小常识，另外还设计了95个常见汉字的书写练习。

教材结构：

全书由25个教学单元、2个复习单元、听力练习文本、词汇手册以及一张配套的MP3光盘组成。各单元结构如下：

- 话题
- 功能项目和核心表达句式
- 生词和短语
- 对话
- 语言点注释
- 扩展词汇和表达方式
- 交际任务
- 文化小常识
- 汉字书写练习

教材特色：

- 《信心汉语》第二册"生活篇"是体现交际型和任务型教学法的教材；
- 课文和练习提供的交际场景自然、真实，源于现实生活；
- 语言材料力求地道，以便学习者学习和练习词汇及用法；
- 简单介绍必要的语法规则以帮助学习者更好地理解和运用汉语；
- 提供与课文相关的词汇和表达方式以供学习者深入学习；
- 介绍与课文内容相关的文化点和信息，有助于学习者深入理解课本中的各个话题和情景。

如何使用教材：

对学习者的建议：

- 全书需用80～100课时，学习者应该为自己制定合理的每日学习计划和目标；
- 尽可能多地在课堂上及课下练习你学到的东西，因为与一种语言接触的频率越高，学习效果就会越好；
- 预习和复习时，最好做配套的听力练习；
- 要熟练掌握每单元词汇表中列出的新词和短语，并反复练习；
- 寻找更多的机会来练习学过的表达方式；

· 通过扩展词汇表掌握尽可能多的语言信息来完成书中的学习任务；

· 利用复习单元巩固所学知识，以提高学习效率，最终提高用汉语进行交际的能力。

对教师的建议：

· 事先通览整本教材以明确本教材的结构和教学目标；

· 充分利用课文中提供的练习，并可根据学生的接受程度，自己设计一些补充练习以巩固学习效果；

· 语法解释适可而止，以帮助学习者更好地理解课文为尺度；

· 建议用80～100课时教授本教材；

· 着重训练听说技能，汉字练习的量视学生的需求和接受程度而定；

· 充分利用两个复习单元总结前面所学知识，帮助学生加深理解。

　　《信心汉语》第三册"工作篇"也即将出版。"工作篇"仍沿用前两册的体例，帮助学习者在与工作相关的场景中使用汉语进行交际。

　　我们相信《信心汉语》能使学习者在充满乐趣的学习过程中掌握汉语知识，增强学习信心，从而能顺利地在生活和工作中运用汉语完成交际活动。

Chapter 1

How are you doing?

Learn to ⊚

- Exchange greetings at the beginning of an informal chat

- Say　最近过得怎么样 zuìjìn guò de zěnmeyàng
　　　　对……习惯了吗 duì... xíguàn le ma
　　　　辛苦了 xīnkǔ le

New words and expressions

dǎ qiú 打 球	play ball such as golf, tennis		tǐng ... de 挺……的	quite
ňg 嗯	yeah		hǎojiǔ bùjiàn 好 久 不 见	long time no see
guò de zěnmeyàng 过 得 怎 么 样	how's life		wán 玩	informal visit (in this chapter)
mǎmǎhūhū 马 马 虎 虎	so so		kuài 快	quickly
lǎo yàngzi 老 样 子	as usual		wàibian 外 边	outside
duì 对	to		xià xuě 下 雪	snow
shēnghuó 生 活	life		chūzūchē 出 租 车	taxi
xíguàn 习 惯	get used to		dǎ 打	take (a taxi)
jiùshì 就 是	only that		zǒu lù 走 路	walk, on foot
yǒudiǎnr 有 点 儿	*a little bit* rather		xīnkǔ le 辛 苦 了	so much toil for you
tàitai 太 太	wife		dōngtiān 冬 天	winter

cì 次	a measure word for times	kāfēi 咖啡	coffee

Dialogue

1 *Wang Ning (W) and David (D) are at the golf course.*

Wāng Níng, nǐ yě lái dǎ qiú?
D: 王　宁，你也来打球？

Ňg, wǒ cháng lái. Zuìjìn guò de zěnmeyàng?
W: 嗯，我　常　来。最近过得怎么样？

Mǎmǎhūhū. Nǐ ne?
D: 马马虎虎。你呢？

Háishi lǎo yàngzi. Nǐ duì zhèr de shēnghuó xíguàn le ma?
W: 还是老样子。你对这儿的　生活习惯了吗？

Hái xíng, jiùshì yǒudiǎnr lěng.
D: 还行，就是有点儿冷。

Hěn kuài jiù huì xíguàn le. Nǐ tàitai zěnmeyàng?
W: 很　快就会习惯了。你太太怎么样？

Tǐng hǎo de.
D: 挺　好　的。

Hǎojiǔ bújiàn le, yǒu kōng lái wǒ jiā wánr.
W: 好久不见了，有　空　来我家玩儿。

Hǎode, xièxie.
D: 好的，谢谢。

D: Wang Ning, you also came to play golf?

W: Yeah, I often come here. How are you doing?

D: So so. And you?

W: OK. Have you got used to living here?

D: Quite well, only that it is rather cold.

W: You will soon get used to it. How is your wife?

D: She is fine.

W: I haven't seen her for a long time. Come to see us when you have time.

D: OK, thank you.

2 David (D) and his wife Susan (S) are going to the Wang's (W). David is ringing the doorbell.

Shéi a?
W: 谁 啊？

Shì wǒ,　Dàwèi.
D: 是我，大卫。

(dǎkāi mén) Huānyíng huānyíng.
W:（打开门）欢迎　欢迎。

Kuài qǐng jìn, wàibian xuě hěn dà ba?
快 请 进，外边雪很大吧？

Shì a,　xià xuě chūzūchē bù hǎo dǎ,　wǒmen zǒu lù lái de.
D: 是啊，下雪出租车不好打，我们走路来的。

Xīnkǔ le,　qǐng zuò ba.
W: 辛苦了，请坐吧。

Zhèr de dōngtiān cháng xià dà xuě ma?
S: 这儿的 冬天　常 下大雪吗？

Yì nián sān-sì cì ba.　Nǐmen hē
W: 一年三四次吧。你们喝

diǎnr shénme?
点儿什么？

Kāfēi.
D: 咖啡。

Wǒ yě hē kāfēi.
S: 我也喝咖啡。

Hǎode.
W: 好的。

W: Who is that?
D: It's me, David.
W: (opening the door) Welcome, welcome. Come in please. It's snowing heavily, isn't it?
D: Yes, and it is difficult to find a taxi when it's snowing. We came here on foot.
W: So much toil for you. Sit down, please.
S: Does it often snow heavily in winter?
W: Three or four times a year. What would you like to drink?
D: Coffee, please.
S: Me, too.
W: Right.

Language notes

> "有点儿(yǒudiǎnr)" then used before an adjective or verb, it indicates a slight degree and some dissatisfaction.

e.g.
1. Jīntiān fēng hěn dà, yǒudiǎnr lěng.
   今天风很大，有点儿冷。
   It is quite windy today, and a bit cold.

2. Jīnglǐ yǒudiǎnr bù gāoxìng.
   经理有点儿不高兴。
   The manager looks a little unhappy.

> "三四次(sānsì cì)" Two adjacent numbers are often used together to indicate approximation in Chinese.

e.g.
1. Yì nián sān-sì cì ba.
   一年三四次吧。
   Three or four times a year.

2. Nàge nánháir shí'èr-sān suì.
   那个男孩儿十二三岁。
   The boy is twelve or thirteen years old.

Useful words and expressions

body, health	shēntǐ 身体	just	gāng 刚
decorate (a house)	zhuāngxiū 装修	food shopping	mǎi cài 买菜
house	fángzi 房子	attend	cānjiā 参加
Internet	wǎng 网	wedding	hūnlǐ 婚礼
Hong Kong	Xiānggǎng 香港	when did you get back	shénme shíhou huílai de 什么时候回来的
on a business trip	chū chāi 出差	what have you been busy with	zuìjìn máng shénme 最近忙什么

19

not so used to	bú tài xíguàn 不太习惯	quite busy	máng de hěn 忙 得很
life is fine	guò de búcuò 过得不错	you're welcome	méi shénme 没什么
quite well	hái hǎo 还好	take care of yourself	zhùyì shēntǐ 注意身体
it's fine	hái kěyǐ / hái xíng 还可以/还行		

Tasks

Complete the following short dialogues.

1. In the street

Xiǎo Wáng, nǐ zuìjìn shēntǐ zěnmeyàng?
A：小 王 ，你 最 近 身 体 怎 么 样 ？

Nǐ ne?
B：＿＿＿＿＿。你 呢 ？

Zhè liǎng tiān zài máng zhe zhuāngxiū fángzi.
A：＿＿＿＿＿。这 两 天 在 忙 着 装 修 房 子 。

Nà tǐng xīnkǔ de, yào zhùyì shēntǐ.
B：那 挺 辛 苦 的 ，要 注 意 身 体 。

2. Chatting on the Internet

Hǎojiǔ méi zài wǎng shang kànjiàn nǐ le,
A：好 久 没 在 网 上 看 见 你 了 ，＿＿＿＿＿？

Qù Xiānggǎng chū chāi le.
B：去 香 港 出 差 了 。

A：＿＿＿＿＿＿＿＿？

Xiàwǔ gāng dào.
B：下 午 刚 到 。

What do you say?

1. You greet a neighbour when you come across each other in the street.

2. You have a chat with a Chinese friend who comes from another city.

3. You greet an acquaintance in a supermarket.

4. You go to see a friend in hospital and express your concern.

🐻 Create conversations according to the following situations.

1. Xiao Wang meets a friend whom he got to know when he studied at Cambridge, and asks about his health and work.
2. At a friend's wedding, David sees someone whom he met at the bar yesterday.
3. On her way to see her child at school, Susan meets her child's teacher at the school gate and has a brief chat with her.
4. Baker takes his child to the zoo, and meets one of his Chinese colleagues. They start to chat.

🐻 Listen and do the following exercises.

1. Answer the following questions.

   (in the street)

   (1) How long is it since they saw each other?

   (2) Is David used to living here?

2. Complete the following dialogue.

   (at the gate of the apartment)

   Wāng Níng, Wāng Níng!
   A：王 宁，王 宁！
   Àimǐ a, huílái la!
   B：艾米啊，回来啦！
   Ňg, hǎo chǎng shíjiān bú jiàn le,
   A：嗯，好 长 时间不见了，_____?
   Hái kěyǐ, nǐ zuìjìn guò de
   B：还可以，你最近过得_____?
   Mǎmǎhūhū.
   A：马马虎虎。

🐻 Reading.

shǎoshù mínzú zěnme wénhòu
少数民族 (minority nationality) 怎么 (how) 问候 (greet)

Zhōngguó yígòng yǒu wǔshíliù ge mínzú, qízhōng
中国 一共 (in all) 有 56 个民族 (nationality)，其中

yǒu wǔshíwǔ ge shǎoshù mínzú. Hěn duō mínzú zài jiànmiàn shí
(among them) 有 55 个少数民族。很多民族在见面 (meet) 时

dōu yǒu zìjǐ de wénhòu fāngshì
都有自己的 (own, oneself) 问候 方式 (way)。

Answer the question according to the passage.

How many ethnic groups are there all together in China?

Cultural tips

China is located in East Asia, and most of its territory is in the North Temperate Zone. The temperature shows a large discrepancy between the south and the north in winter. In January there is an average discrepancy of 35 degrees centigrade between Guangzhou and Harbin. The temperature rises gradually from the north to the south. The north is often hit by heavy snow and frost in winter, while in summer the temperature in most of China is relatively high, showing not much difference between the south and the north. In July the temperature in Guangzhou is only 5 degrees higher on average than that in Harbin. Also, during spring and autumn, the majority of the country is temperate and full of sunlight.

Character writing

chū	chū	chū	chū	chū	chū	chū	chū	chū
出	出	出	出	出	出	出	出	出

zū	zū	zū	zū	zū	zū	zū	zū	zū
租	租	租	租	租	租	租	租	租

chē	chē	chē	chē	chē	chē	chē	chē	chē
车	车	车	车	车	车	车	车	车

kā	kā	kā	kā	kā	kā	kā	kā	kā
咖	咖	咖	咖	咖	咖	咖	咖	咖

fēi	fēi	fēi	fēi	fēi	fēi	fēi	fēi	fēi
啡	啡	啡	啡	啡	啡	啡	啡	啡

Chapter 2

Come to my home if you are free

Learn to

- Make, accept and decline an invitation

- Say   有空的话, 来我家吧 yǒu kōng dehuà, lái wǒ jiā ba
  邀请你来我家过年 yāoqǐng nǐ lái wǒ jiā guò nián
  实在抱歉 shízài bàoqiàn

New words and expressions

zhuāng 装	install	yāoqǐng 邀请	invite, invitation
yóuxì ruǎnjiàn 游戏软件	game software	guò nián 过年	spend the Spring Festival
kěnéng 可能	*maybe* might, likely	búguò 不过	but
yǔ 雨	rain	chēpiào 车票	ticket
kāi chē 开车	drive (a car)	guò jǐ tiān 过几天	in a few days
jiē 接	pick somebody up	shízài 实在	really
yìyán wéidìng 一言为定	that's a deal	bàoqiàn 抱歉	sorry *duì bù* *对不起*
Chūn Jié 春节	*(Chinese New Year)* Spring Festival	yǐhòu zàishuō 以后再说	talk about it later
lǚyóu 旅游	tour, travel		

Dialogue

1　*Wang Ning (W) calls David (D) to invite him to his house.*

Wēi,　nǐ hǎo.　Dāwèi zài ma?
W: 喂 ，你 好 。大 卫 在 吗 ？

Wǒ jiù shì. Wáng Níng a,　hǎojiǔ bújiàn le.　Zuìjìn zěnmeyàng?
D: 我 就 是 。王 宁 啊 ，好 久 不 见 了 。最 近 怎 么 样 ？

Tǐng hǎo de.　Nǐ míngtiān yǒu kōng dehuà, lái wǒ jiā ba.
W: 挺 好 的 。你 明 天 有 空 的 话 ，来 我 家 吧 。

Wǒ zhuāng le xīn de yóuxì ruǎnjiàn.
我 装 了 新 的 游 戏 软 件 。

Nà tài hǎo le.
D: 那 太 好 了 。

Míngtiān kěnéng yǒu yǔ, wǒ kāi chē qù jiē nǐ, zěnmeyàng?
W: 明 天 可 能 有 雨 ，我 开 车 去 接 你 ，怎 么 样 ？

Hǎode,　xièxie.
D: 好 的 ，谢 谢 。

Yìyán wéidìng, míngtiān jiàn.
W: 一 言 为 定 ，明 天 见 。

Míngtiān jiàn.
D: 明 天 见 。

W: Hello, can I speak to David?

D: Yes, it's me. Oh, Wang Ning, I haven't seen you for ages. How are you?

W: Fine. Come to my home if you are free tomorrow. I have installed some new game software.

D: Great.

W: It might be raining tomorrow. I'll pick you up, OK?

D: OK, thank you.

W: That's settled then. I'll see you tomorrow.

D: See you tomorrow.

② *Wang Ning (W) and David (D) meet a few days before the Spring Festival.*

W: Dàwèi, nǐ Chūn Jié dǎsuàn zuò shénme?
大卫，你春节打算做什么？

D: Wǒ yào qù Sūzhōu lǚyóu.
我要去苏州旅游。

W: Wǒ hái xiǎng yāoqǐng nǐ lái wǒ jiā guò nián ne.
我还想邀请你来我家过年呢。

D: Xièxie nǐ, búguò wǒ de chēpiào dōu mǎi hǎo le.
谢谢你，不过我的车票都买好了。

W: Nǐ huílai hòu zài dào wǒmen jiā lái ba!
你回来后再到我们家来吧！

D: Bù hǎoyìsi, guò jǐ tiān wǒ tàitai yào lái, wǒ yào qù jiē tā. Shízài bàoqiàn.
不好意思，过几天我太太要来，我要去接她。实在抱歉。

W: Méi guānxi, yǐhòu zàishuō ba.
没关系，以后再说吧。

D: Hǎode, zàijiàn.
好的，再见。

W: Zàijiàn.
再见。

W: David, what are you going to do during the Spring Festival?
D: I am going to Suzhou for a tour.
W: I thought of inviting you to spend the Spring Festival with us.
D: Thank you, but I have already bought a ticket.
W: Come to see us when you come back then!
D: I can't really. My wife is coming in a few days, and I have to meet her. I am really sorry.
W: That's OK. Talk about it later.
D: OK, bye.
W: Bye.

Language notes

> "如果……的话(rúguǒ... dehuà)" is a set phrase for pre-condition.
>
> Nǐ míngtiān yǒu kōng dehuà, lái wǒ jiā ba.
> e.g. 1. 你 明 天 有 空 的 话 ，来 我 家 吧 。
> Come to my home if you are free tomorrow.
>
> Rúguǒ xià yǔ dehuà, wǒmen jiù bú qù zhǎo nǐ le.
> 2. 如果 下 雨 的 话，我 们 就 不 去 找 你 了 。
> We won't come if it rains tomorrow.

Useful words and expressions

get married	jié hūn 结婚	welcome	huānyíng guānglín 欢迎 光临	
attend	cānjiā 参加	you're honourably invited to come	jìng qǐng guānglín 敬 请 光临	
the whole family	quánjiā 全家	unable to do	bàn bú dào 办 不 到	bú néng 不能
together	yìqǐ 一 起	not easy to do	bù hǎo bàn 不 好 办	
dance	tiào wǔ 跳 舞	no problem	méi wèntí 没 问 题	
swim	yóu yǒng 游 泳	I would like to invite you...	wǒ xiǎng qǐng nǐ ... 我 想 请 你……	
Baker	Bèikè 贝 克	thanks for your invitation	xièxie nǐ de yāoqǐng 谢 谢 你 的 邀 请	
consulate	lǐngshìguǎn 领 事 馆	some other time then	yǐhòu zài zhǎo shíjiān 以 后 再 找 时 间	
dinner party	wǎnyàn 晚 宴	when available	yǒu shíjiān dehuà 有 时 间 的 话	

如果

Tasks

🐛 Complete the following short dialogues.

1. Making a call

Xiǎo Wāng, wǒ Xīngqīliù jié hūn, xiǎng   cānjiā.

A：小 王 ，我 星 期 六 结 婚 ，想 _____参加 。

Hǎo a, yídìng cānjiā.

B：好 啊 ，一 定 参 加 。

Nǐmen quán jiā yìqǐ lái, hǎo bu hǎo?

A：你 们 全 家 一 起 来 ，好 不 好 ？

Hǎo,

B：好 ，_____ ！

2. In the company

Wáng xiǎojiě, míngtiān wǒmen yìqǐ qù chī fàn ba?

A：王 小 姐 ，明 天 我 们 一 起 去 吃 饭 吧 ？

Duìbuqǐ,   bù néng qù.

B：对 不 起 ，_____ ，不 能 去 。

Méi guānxi, wǒmen xià xīngqī zài qù ba.

A：没 关 系 ，我 们 下 星 期 再 去 吧 。

B：_____ 。

🐛 What do you say?

1. You call a friend and invite him to go to a party.

2. You and your wife invite your friends to visit your new house.

3. A TV program is inviting you and several other foreigners to attend their chat show. You accept the invitation with pleasure.

4. Baker invites you to play golf this weekend. You decline the invitation in two different ways.

🐛 Create conversations according to the following situations.

1. The British Consulate has invited Mr. Zhang to attend a dinner party, but Mr. Zhang is occupied.

2. The school invites Mr. and Mrs. Smith to watch the children's drama performance.

3. Amy declines an invitation to go mountain climbing with an excuse.

☃ Listen and do the following exercises.

   1. Answer the following questions.

     (at the hotel)

     (1) Is Xiao Wang available now?

     (2) When will Xiao Wang go to Xiao Zhang's flat?

   2. Complete the following dialogue.

     (after work)

A: Xiǎo Lǐ, wǒmen yìqǐ qù yóuyǒng ba?
小 李，我们一起去游泳吧？

B: wǒ yǒudiǎnr bù shūfu.
_____，我有点儿不舒服。

A: Shì ma? Nà wǒ sòng nǐ huí jiā ba.
是吗？那我送你回家吧。

B: wǒ zìjǐ kěyǐ.
_____，我自己可以。

🐸 Reading.

qǐngjiǎn
请柬

Wǎng Níng xiānsheng:
王 宁 先生：

Zī dìng yú jiǔ yuè shíliù rì Xīngqīliù xiàwǔ liù diǎn zài Nánjīng
兹定于九月十六日（星期六）下午六点在南京

Fàndiàn jǔxíng Gélín xiānsheng jié hūn diǎnlǐ, jìng qǐng guānglín.
格林先生
饭店举行 Zhāng Yún Xiǎojiě 结婚典礼，敬请光临。
张 云小姐

Gélín
格林

Zhāng Yún
张 云

èr líng líng liù nián bā yuè èr rì
二〇〇六年八月二日

Notes:

zī 兹	now, at present	jǔxíng 举行	hold (ceremony, a meeting, etc.)
dìng 定	fix, set for	jié hūn diǎnlǐ 结婚典礼	wedding ceremony
yū 于	at, on		

Choose the best answer according to the invitation.

What occasion is Mr. Wang Ning invited to attend?

a. birthday party
c. graduation ceremony
b. wedding ceremony
d. opening ceremony

Cultural tips

The Chinese Spring Festival traditionally refers to the period from the 23rd day of the last month of the lunar year to the 15th day of the first month of the next lunar year, reaching its climax at the lunar New Year's Eve and the lunar New Year's Day.

During the Spring Festival, the Hans and many ethnic minority groups will hold a variety of celebrations including pasting Spring Festival couplets on gateposts or door frames, putting up Spring Festival pictures, setting off fireworks, having the family reunion dinner on the lunar New Year's Eve, staying up late or all night on New Year's Eve, and paying a New Year visit to relatives and friends.

贴春联
post spring festival couplets

Character writing

chē | chē | chē | chē | chē | chē | chē | chē | chē

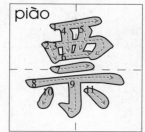

piào | piào | piào | piào | piào | piào | piào | piào | piào

chūn | chūn | chūn | chūn | chūn | chūn | chūn | chūn | chūn

jié | jié | jié | jié | jié | jié | jié | jié | jié

Chapter 3

I left my bag in the taxi

Learn to

- Describe things, people or events

- Say   把……忘在出租车上了 bǎ … wàng zài chūzūchē shang le
  是……的 shì … de
  先……，然后…… xiān …, ránhòu …

New words and expressions

bǎ 把	a particle in "Ba-structure"	lǐmian 里面	inside
wàng 忘	forget	dānxīn 担心	worry
dànshì 但是	but	zhōumò 周末	weekend
zhīdào 知道	know	guò 过	spend
Běifāng Gōngsī 北方公司	the North Company	bié tí le 别提了	don't mention it
Yíhéyuán 颐和园	the Summer Palace	dài 带	take / bring / lead
ménkǒu 门口	gate	háizi 孩子	child
ránhòu 然后	then	dǎ dí 打的	take a taxi
Jiālèfú Chāoshì 家乐福超市	the Carrefour Supermarket	hòulái 后来	later, then

pàichūsuǒ 派出所	police station	zhǎodào 找到	find
jǐngchá 警察	policeman		

Dialogue

1 *David (D) asks a policeman (P) for help in the police station.*

Qǐngwèn nín yǒu shénme shìr ma?
P: 请问 您 有 什么 事儿 吗？

Gāngcái wǒ bǎ bāo wàng zài chūzūchē shang le.
D: 刚才 我 把 包 忘 在 出租车 上 了。

Nín yào fāpiào le ma?
P: 您 要 发票 了 吗？

Méiyǒu. Dànshì wǒ zhīdào shì Běifāng
D: 没有。但是 我 知道 是 北方
Gōngsī de chē.
公司 的 车。

Nín shì shénme shíhou, zài nǎr shàng
P: 您 是 什么 时候，在 哪儿 上
de chē?
的 车？

Xiàwǔ sān diǎn zài Yíhéyuán ménkǒu
D: 下午 三 点 在 颐和园 门 口
shàng de chē, ránhòu zài Jiālèfú
上 的 车，然后 在 家乐福
Chāoshì ménkǒu xià de chē.
超市 门口 下 的 车。

Nín de bāo shì shénmeyàng de?
P: 您 的 包 是 什么样 的？

P: Can I help you, sir?
D: I left my bag in the taxi just now.
P: Did you ask for the receipt?
D: No, but I know the taxi was from the North Company.
P: When and where did you take the taxi?
D: I got one at 3 p.m. at the gate of the Summer Palace, and then got out at the gate of the Carrefour Supermarket.
P: What does your bag look like?
D: It's black with my passport inside it.
P: Don't worry. We'll help you to look for it.
D: Many thanks.

Hēisè de. Lǐmian yǒu wǒ de hùzhào.

D: 黑色 的 。里面 有 我 的 护照 。

Bié dānxīn, wǒmen mǎshàng bāng

P: 别 担心 ，我们 马上 帮

nín zhǎo.

您 找 。

Xièxie.

D: 谢谢 。

---

② *David (D) meets Bai Yun (B) in the lift.*

Zhège zhōumò zěnme guò de?

B: 这个 周末 怎么 过 的 ？

Bié tí le!

D: 别 提 了 ！

Zěnme le?

B: 怎么 了 ？

Xīngqīliù wǒ dài háizi qù Yíhéyuán

D: 星期六 我 带 孩子 去 颐和园

wánr, dǎ dí huí jiā de shíhou, wǒ

玩儿 ，打 的 回家 的 时候 ，我

bǎ bāo wàng zài chūzūchē shàng le.

把 包 忘 在 出租车 上 了 。

Hòulái ne?

B: 后来 呢 ？

Wǒ xiān qù le pàichūsuǒ, ránhòu

D: 我 先 去 了 派出所 ，然后

jǐngchá bāng wǒ gěi chūzūchē

警察 帮 我 给 出租车

gōngsī dǎ le ge diànhuà.

公司 打 了 个 电话 。

Xiànzài zhǎodào le ma?

B: 现在 找到 了 吗 ？

Zhǎodào le.

D: 找到 了 。

B: How was your weekend?
D: Don't mention it!
B: What happened?
D: I took my child to the Summer Palace on Saturday, but left my bag in the taxi on the way back.
B: And then?
D: I went to the police station for help, and a policeman phoned the taxi company.
B: Have you found it yet?
D: Yes.

Language notes

The sentence structure with 把(bǎ):

"Subject＋把(bǎ)＋Object＋Verb＋在(zài)＋Phrase of Place" is used to express the change of an object's position or state. It also increases the reader's attention to the important object by moving it near the beginning of the sentence.

e.g.
1. Wǒ bǎ bāo wàng zài chūzūchē shang le.
   我 把 包 忘 在 出租车 上 了。
   I left my bag in the taxi.

2. Wǒ bǎ chē tíng zài ménkǒu le.
   我 把 车 停 在 门 口 了。
   I parked the car at the gate.

3. Wǒ bǎ cídiǎn fàng zài shūjià shang le.
   我 把 词典 放 在 书架 上 了。
   I put the dictionary on the shelf.

The sentence structure 是……的(shì...de):

"(Subject)＋是(shì)＋Time/Place＋Verb＋的(de)" is used to emphasize the time or the place of an action that has been completed.

e.g.
1. Wǒ shì xiàwǔ sān diǎn zài Yíhéyuán ménkǒu shàng de chē.
   我 是 下午 三点 在 颐和园 门口 上 的 车。
   It was at 3 p.m. that I got in the taxi at the gate of the Summer Palace.

2. Tā shì liù diǎn zǒu de.
   他 是 六 点 走 的。
   It was at six o'clock that he left.

3. Wǒ shì zài Wángfǔjǐng Dàjiē mǎi de.
   我 是 在 王府井 大街 买 的。
   It was at Wangfujing Street that I bought it.

Useful words and expressions

cell phone	shǒujī 手机		car park	tíngchēchǎng 停车场
Hangzhou (name of a city)	Hángzhōu 杭州		cooking	zuò cài 做菜
Nanjing (name of a city)	Nánjīng 南京		wash clothes	xǐ yīfu 洗衣服

house cleaning	dǎsǎo wèishēng 打扫卫生	finally	zuìhòu 最后	
underground train	dìtiě 地铁	what did you do	zuò le shénme 做了什么	
police station	gōng'ānjú 公安局	put...somewhere	bǎ ... fàng zài 把……放在	
bookshop	shūdiàn 书店	left... in/on	bǎ ... diū zài 把……丢在	
again	yòu 又	park (the car) in	bǎ ... tíng zài 把……停在	
then	jiēzhe 接着	view ...as	bǎ ... kàn chéng 把……看成	

zhōng diǎn gōng
钟 点 工

house helper

eg. 把…看成自己的孩子

Tasks

🔲 **Complete the following short dialogues.**

1. In the office

Wǒ de shǒujī bú jiàn le.
A：我 的 手机 不 见 了 。

Bié zháojí. Nǐ cháng   shǒujī   nǎlǐ?
B：别 着 急。你 常 __把__ 手机 __放__ 哪里 ?

Fàng zài bāo li. Dànshì bāo li méiyǒu.
A：放 在 包 里。但是 包 里 没有 。

Nǐ de shǒujī shì   Wǒ bāng nǐ zhǎozhao.
B：你 的 手机 是 __什么 色的__? 我 帮 你 找 找 。

Xièxie.   Wǒ de shǒujī shì hēisè de.
A：谢谢。我 的 手机 是 黑色 的 。

2. An Internet chat

Chūn Jié   de?
A：春 节 __怎么过__ 的 ?

Qù lǚyóu le.
B：去 旅游 了 。

Qù le nǎxiē dìfang?
A：去 了 哪些 地方 ?

              qù le Hángzhōu,   yòu qù le Shànghǎi,   qù le Nánjīng.
B：__先__ 去 了 杭州，__然后__ 又 去 了 上海，__最后__ 去 了 南京。

🔲 **What do you say?**

1. You find your car missing from the car park, so you tell the car park

warden what your car looks like and ask for help.

2. On a visit to your Chinese friend you chat with his child and ask what he did in school today.
3. You instruct your house helper to cook dinner, to finish washing-up and to do house cleaning.
4. You tell your friend when and why you came to China.

Create conversations according to the following situations.

1. Billy and Wang Juan ask each other about what they did last weekend.
2. Amy lost her mobile phone in the shop where she bought some clothes, so she goes back to the shop and asks the assistant for help.
3. Baker finds he has left his bag on the underground train, so he goes to the police station for help.

Listen and do the following exercises.

1. Choose the correct answer to the questions.

   (in the office)

   (1) Where was the man on Sunday morning?

   a. 超市 chāoshì   b. 自己家 zìjǐ jiā   c. 同事家 tóngshì jiā   d. 书店 shūdiàn

   (2) When did the woman go to the supermarket?

   a. 星期天早上 Xīngqītiān zǎoshang   b. 星期天晚上 Xīngqītiān wǎnshang

   c. 星期六下午 Xīngqīliù xiàwǔ   d. 星期天下午 Xīngqītiān xiàwǔ

2. Complete the dialogue according to the recording.

   (at the cinema)

   A: 我们看这个电影_____? Wǒmen kàn zhège diànyǐng

   B: 我已经看过了。 Wǒ yǐjīng kànguò le.

   A: 啊，_____看的？ Á, kàn de?

   B: 上 个星期六看的。 Shàng ge Xīngqīliù kàn de.

   A: 那我们今天看什么呢？ Nà wǒmen jīntiān kàn shénme ne?

   B: 看那个吧。 Kàn nàge ba.

😀 Reading.

zhàngfu yìzhí bū zài jiā
丈夫一直(always)不在家

Zuìjìn jǐ nián wǒ de zhàngfu gōngzuò hěn máng, yìzhí zài guówài
最近几年我的丈夫工作很忙，一直在国外

gōngzuò. Qiánnián tā qù le Měiguó
工作。前年(the year before last)他去了美国(the United States)，

qùnián qù le Àodàlìyà, xiànzài zài Fǎguó,
去年去了澳大利亚(Australia)，现在在法国(France)，

míngnián yào qù Zhōngguó. Wǒ chángcháng dǎ diànhuà wèn tā: "qīn'àide,
明年要去中国。我常常打电话问他："亲爱的(darling)，

nǐ shénme shíhou huí Yīngguó?" Tā zǒng shì xiān shuō "hěn kuài", ránhòu yòu
你什么时候回英国?"他总是先说"很快"，然后又

shuō "yào qù qítā guójiā". Yěxǔ tā huílai de shíhou,
说"要去其他(other)国家"。也许(perhaps)他回来的时候，

háizimen dōu bú rènshi zìjǐ de bàba le. Suǒyǐ wǒ kāishǐ
孩子们都不认识自己的爸爸了。所以(so)我开始

xué Hànyǔ, wǒmen quán jiā dǎsuàn gēn tā yìqǐ
(start)学汉语，我们全家(the whole family)打算跟他一起

qù Zhōngguó.
去中国。

Find the order of the countries where her husband has worked and will work.

Cultural tips

In China people often see a sign: 有困难，请打 110 (yǒu kùnnan, qǐng dǎ 110; when in trouble, dial 110). "110" is the emergency call for police in China. "110" is at service 24 hours every day dealing with all kinds of difficulties people might meet in their daily lives. When you lose something carelessly, when you have been robbed or cheated, and even when you are just lost in the street, please dial 110 to ask for help. The service is free of charge. You can dial the number using all kinds of telephones, including mobile phones and public phones. That's why Chinese have a saying: when in trouble, call the police.

Character writing

pài	pài	pài	pài	pài	pài	pài	pài	pài
派	派	派	派	派	派	派	派	派

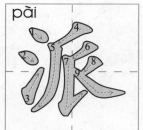

chū	chū	chū	chū	chū	chū	chū	chū	chū
出	出	出	出	出	出	出	出	出

suǒ

suǒ	suǒ	suǒ	suǒ	suǒ	suǒ	suǒ	suǒ	suǒ
所	所	所	所	所	所	所	所	所

chāo

chāo	chāo	chāo	chāo	chāo	chāo	chāo	chāo	chāo
超	超	超	超	超	超	超	超	超

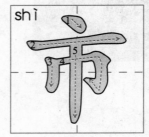

shì

shì	shì	shì	shì	shì	shì	shì	shì	shì
市	市	市	市	市	市	市	市	市

Chapter 4

Photo taking is not allowed inside the museum

Learn to

- Demand that someone do something or stop someone doing something

- Say 博物馆内禁止拍照 bówùguǎn nèi jìnzhǐ pāi zhào
  必须带上护照 bìxū dài shang hùzhào

New words and expressions

bówùguǎn 博物馆	museum		qiānzhèng 签证	visa	
nèi 内	inside	*Dài* 外	dào qī 到期	expire	
jìnzhǐ 禁止	forbid	*qǐn* *wù* 请勿	gǎnkuài 赶快	hurry up	
pāi zhào 拍照	take a photo		xūyào 需要	need	延期 到期
cānguān xūzhī 参观 须知	visitor notice		bìxū 必须	must	
ne 呢	a modal particle		dài shang 带上	take with (you)	
rùkǒuchù 入口处	entrance		liǎng cùn 两寸	2-inch	
zhùyì 注意	notice, pay attention to		zhàopiàn 照片	photograph	
jūliú xǔkě 居留许可	residence permit		yīnggāi 应该	ought to	
bàn 办	handle		gōng'ānjú 公安局	police station	

派出所

Dialogue

1 *Amy (A) talks to a clerk(C) in a museum.*

Xiǎojiě,　　duìbuqǐ.
C: 小 姐 ，对 不 起 。

Shénme shìr?
A: 什 么 事 儿 ？

(zhǐ zhe Àimǐ shǒu zhōng de xiāngjī) Bówùguǎn nèi jìnzhǐ
C: (指 着 艾 米 手　 中　 的 相 机) 博 物 馆 内 禁 止

pāi zhào.
拍　照 。

Bù hǎoyìsi,　　wǒ bū zhīdào.
A: 不 好 意 思 ， 我 不 知 道 。

Cānguān xūzhī shang dōu xiě zhe ne,　jiù zài rùkǒuchù.
C: 参 观　 须 知 上　 都　 写 着 呢 ，就 在 入 口 处 。

Wǒ méi kànjiàn,　zhēn duìbuqǐ.
A: 我 没　看 见 ， 真 对 不 起 。

Méi shìr,　　xià cì qǐng zhùyì.
C: 没 事 儿 ， 下 次 请　 注 意 。

Hǎode.
A: 好 的 。

C: Excuse me.
A: What's wrong?
C: (pointing to the camera in the hand of Amy) Photo taking is not allowed inside the museum.
A: I'm sorry, I didn't know.
C: It is written on the visitor notice-board right at the entrance.
A: I didn't see it, and I'm really sorry.
C: It's all right, pay attention next time.
A: OK.

② *Wang Ning (W) asks David (D) whether he has
completed the application for the residence permit.*

Jūliú   xǔkě nǐ bàn le ma?
W: 居留许可你办了吗？

Hái méi ne.
D: 还 没 呢。

Nǐ de qiānzhèng hòutiān jiù dào qī le,
W: 你的 签证   后天 就 到期了，

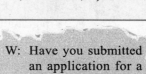

 nǐ děi gǎnkuài qù bàn le.
你得 赶快 去 办 了。

Bàn jūliú xǔkě xūyào shénme?
D: 办居留许可需要什么？

Bìxū dài shang hùzhào, liǎng zhāng liǎng cùn zhàopiàn, hái yǒu
W: 必须带 上 护照，两 张   两 寸 照片，还有
sì bǎi kuài qián.
四百 块 钱。

Shì dào pàichūsuǒ ma?
D: 是 到 派出所 吗？

Bú shì, yīnggāi qù gōng'ānjú.
W: 不是，应该 去 公安局。

Hǎo, wǒ yíhuìr jiù qù bàn.
D: 好，我 一会儿 就 去 办。

W: Have you submitted
   an application for a
   residence permit?
D: Not yet.
W: Your visa will expire
   in two days. You
   must do it as soon as
   possible.
D: What is required
   to apply for the
   residence permit?
W: You must have your
   passport, two 2-inch
   photographs and also
   400 RMB.
D: Do I need to go to the
   local police station?
W: No, you should
   go to the police
   headquarters.
D: OK, I will go there
   later.

Language notes

"就(jiù)" is a word used before a verb to make an emphasis.

Cānguān xūzhī shang dōu xiě zhe ne, jiù zài rùkǒuchù.

e.g. 1. 参观 须知 上 都 写着呢，就 在 入 口 处。
It is written on the visitor notice-board right at the entrance.

Tā shì nǐ gēge?

2. A: 他 是 你 哥 哥?
Is he your brother?

Duì, tā jiù shì wǒ gēge.

B: 对，他 就 是 我 哥 哥。
Yes, he is indeed my brother.

"就" is also used to indicate that the action will take place in the near future.

Wǒ yíhuìr jiù qù bàn.

e.g. 3. 我 一 会 儿 就 去 办。
I'll do it in a moment.

Wǒ míngtiān jiù qù Běijīng.

e.g. 4. 我 明 天 就 去 北 京。
I'm going to Beijing tomorrow.

"着(zhe)" is a word used after a verb to indicate some accompanying situation.

Cānguān xūzhī shang dōu xiě zhe ne.

e.g. 1. 参观 须知 上 都 写着 呢。
It is all written on the visitor notice-board.

Zhuōzi shang fàng zhe jǐ běn shū.

e.g. 2. 桌 子 上 放 着 几 本 书 。
There are some books on the table.

Useful words and expressions

lawn	cǎopíng 草坪	oil	yóu 油
grow	zhǎng 长	western food	xīcān 西餐
monosodium glutamate	wèijīng 味精	on the wall	qiáng shang 墙 上

document	wénjiàn 文件	not allowed	bù zhǔn 不准	
go fishing	diào yú 钓鱼	please don't	qǐng wù 请 勿	
parking	tíng chē 停 车	~~thanks for not doing~~ decline	xièjué 谢绝	*official – (can not be fixed in china)*
smoke	xī yān 吸烟	prohibit	yánjìn 严禁	
can not	bù néng 不能	want/don't want	yào / bú yào 要 / 不 要	

bù zhī zhě, bù wéi guò 不知者，不为过

guò cuò 过错 mistake

Tasks

Complete the following short dialogues.

1. **In a park**

   A：Xiānsheng, duìbuqǐ.
   先生，对不起。

   B：怎么啦了____！

   A：Cǎopíng zhèngzài zhǎng cǎo, 草坪 正在 长 草，__不准__ rù nèi. 入 内。

   B：Ò, bù hǎoyìsi, wǒ bù zhīdào.
   哦，不 好 意 思，我 不 知 道。

2. **In a Chinese restaurant**

   A：Xiǎojiě, qǐng nǐ guòlai yíxià.
   小姐，请 你 过来 一下。

   B：Nín hǎo, qǐngwèn yǒu shénme shìr?
   您 好，请 问 有 什 么 事 儿？

   A：Wǒ de cài fàng wèijīng, yǒu yào shǎo yìdiǎnr.
   我 的 菜 __不要__ 放 味精，油__要__少 一点 儿。

   B：Hǎode.
   好 的。

Look and say.

Use words and expressions such as					
bìxū 必须	bù néng 不能	bú yào 不要	bù zhǔn 不准	jìnzhǐ 禁止	yào 要

bù kě yǐ 不可以

45

What do you say?

1. You tell your Chinese girlfriend to study cooking western food.
2. You see a man using a mobile phone when the plane is taking off. What would you say to him?
3. You are the manager of a company, and you ask your secretary to prepare some documents before next Monday.

Listen and do the following exercises.

1. **Complete the following dialogue.**

   (Amy is at a friend's home)

   Àimǐ, zěnme le?
   A: 艾米，怎么了？

   Wǒ yào xiān zǒu le, wǒ nán péngyou yào wǒ liù diǎn qián huí jiā.
   B: 我__要先__走了，我男朋友__要__我六点前回家。

   Méi shìr, zài zuò yíhuìr ba.
   A: 没事儿，再坐一会儿吧。

   Bù xíng a, wǎn le tā huì bù gāoxìng de, wǒ děi zǒu le.
   B: 不行啊，晚了他会不高兴的，我__得__走了。

   Hǎo ba.
   A: 好吧。

2. **Choose the correct answer to the questions.**

   (at the cinema)

(1) Where might they be?

a. 电影院 (diànyǐngyuàn)

b. 商店 (shāngdiàn)

c. 超市 (chāoshì)

d. 办公室 (bàngōngshì)

(2) What did the man require the woman to do?

a. 大 声 点 儿 (dà shēng diǎnr)

b. 小 声 点 儿 (xiǎo shēng diǎnr)

c. 不要 说话 (bú yào shuōhuà)

d. 出去 (chūqu)

Reading.

电影院观众 (audience) 须知
diànyǐngyuàn guānzhòng xūzhī

1. 请 保管 好 贵重 (valuable) 物品 (article) 。
   Qǐng bǎoguǎn hǎo guìzhòng wùpǐn.

2. 电影院里禁止吸烟 (smoke) 。
   Diànyǐngyuàn li jìnzhǐ xī yān.

3. 电影院里严禁拍照。
   Diànyǐngyuàn li yánjìn pāi zhào.

4. 电影开始前30分钟，请勿退换 (exchange a purchase)
   Diànyǐng kāishǐ qián sānshí fēnzhōng, qǐng wù tuìhuàn
   电影票。
   diànyǐngpiào.

5. 谢绝自带 (take by yourself) 食品 (food) 。
   Xièjué zì dài shípǐn.

Answer the question according to the notice for visitors.
What things are prohibited inside cinema?

Cultural tips

Among many museums in China, the most famous ones are the GuGong Museum, the Museum of the Qin emperor's terracotta warriors, the National Museum of China, Shanghai Museum, Nanjing Museum, and Shaanxi History Museum. Besides, there are many museums in China with various specialities such as a museum of bronzes, a tea museum, a silk museum, a pottery museum, and a museum of Chinese red sandalwood. Most museums in China usually charge visitors except on some special holidays.

Character writing

bó	bó	bó	bó	bó	bó	bó	bó	bó
博	博	博	博	博	博	博	博	博

wù	wù	wù	wù	wù	wù	wù	wù	wù
物	物	物	物	物	物	物	物	物

guǎn	guǎn	guǎn	guǎn	guǎn	guǎn	guǎn	guǎn	guǎn
馆	馆	馆	馆	馆	馆	馆	馆	馆

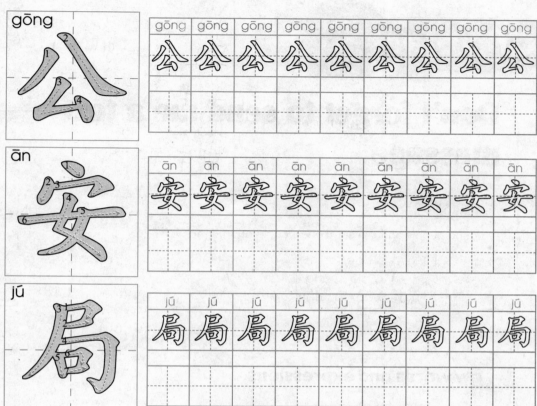

(handwritten notes)
早上 8-10 early morning (getting up time)
上午 8-12
zhōng wǔ
中午 12-2pm
xià wǔ
下午 2-6pm
wǎn shàng
晚上 evening

Don't forget to send me a text message

Learn to

- Remind people and call someone's attention to...
- Say 你的……nǐ de …
  别忘了……biē wǎng le …
  小心点儿 xiǎoxīn diǎnr

(handwritten) morning 8-12

New words and expressions

(handwritten) 上午 Shàng wǔ

Bái Yún 白云	Bai Yun (name of a person)	dì 地	floor
zǎoshang 早上	morning	huá 滑	slippery
wàitào 外套	coat	shuāi dǎo 摔 倒	fall down
āiyā 哎呀	expressing surprise or amazement	tuō 拖	mop
chà diǎnr 差点儿	almost, nearly	guò 过	particle for the past time
… de shíhou ……的时候	when	kuāi 块	measure word (a piece of)
xiǎoxīn 小心	be careful	pāizi 牌子	sign
fā duǎnxìn 发短信	send text message	shàngmian 上面	on...
āiyō 哎哟	ouch, oh, ow		

Dialogue

1 *Amy (A) is at Bai Yun's (B) home. She is about to leave.*

Bái Yún, shíjiān bù zǎo le, wǒ děi zǒu le.
A: 白云，时间不早了，我得走了。

Zài zuò yíhuìr ba.
B: 再坐一会儿吧。

Bù le, míngtiān zǎoshang wǒ hái děi kāi huì ne.
A: 不了，明天早上我还得开会呢。

Nǐ de wàitào!
B: 你的外套！

Āiyā, wǒ chà diǎnr wàng le.
A: 哎呀，我差点儿忘了。

Kāi chē de shíhou xiǎoxīn diǎnr!
B: 开车的时候小心点儿！

Hǎode!
A: 好的！

Dào jiā bié wàng le gěi wǒ fā duǎnxìn!
B: 到家别忘了给我发短信！

A: Bai Yun, it's late. I must go now.
B: Stay a little bit longer.
A: I'm sorry. I can't. I have a meeting tomorrow morning.
B: Your coat!
A: Oh dear, I almost forgot it.
B: Drive with care!
A: OK!
B: Don't forget to send me a text message when you get home.

2 *When Amy (A) and Wang Ning (W) entered the hall of the hotel, Amy nearly falls.*

Āiyō!

A: 哎哟！

Zěnme le?

W: 怎么了？

Dì shang tài huá le, chà diǎnr shuāi dǎo.

A: 地上 太 滑 了，差 点儿 摔 倒。

Xiǎoxīn diǎnr! Dì shì gāng tuōguo de.

W: 小心 点儿！地 是 刚 拖过 的。

Nǐ zěnme zhīdào de?

A: 你 怎么 知道 的？

Kān, nàr bú shì yǒu kuài páizi ma?

W: 看，那儿 不 是 有 块 牌子 吗？

Shàngmian xiě le shénme?

A: 上面 写了什么？

Xiǎoxīn dì huá!

W: 小心 地滑！

A: Oh!
W: What's wrong?
A: The floor is very slippery, and I almost fell.
W: Be careful. The floor has just been mopped.
A: How do you know?
W: Look, there is a sign over there, isn't there?
A: Yes, what does it say?
W: Mind the wet floor!

Language notes

"Adj.+(一),点儿([yì]diǎnr)" is usually used to indicate an increase or decrease in quantity or degree. "一" sometimes can be omitted.

Kāi chē de shíhou yào xiǎoxīn diǎnr!
e.g. 1. 开 车 的 时 候 要 小 心 点 儿 !
Be careful when you are driving!

Kuài diǎnr, láibují le.
2. 快 点 儿, 来 不 及 了 。
Be quick, there's not enough time.

Tiānqì liángkuai yìdiǎnr le.
3. 天 气 凉 快 一 点 儿 了 。
It's getting a bit cooler now.

"Verb+过(guo)" refers to an action which took place sometime in the past. The emphasis is on the past event.

Dì shì gāng tuōguo de.
e.g. 1. 地 是 刚 拖 过 的 。
The floor has just been mopped.

Wǒ kànguo Jīngjù.
2. 我 看 过 京 剧 。
I have seen Peking Opera.

Wǒ méi chīguo kǎoyā.
3. 我 没 吃 过 烤 鸭 。
I haven't eaten roast duck.

Useful words and expressions

Shanghai road	Shànghǎi Lù 上 海 路	open the door	kāi mén 开 门 guān mén 关 门 close
print	dǎyìn 打 印	thief	xiǎotōu 小 偷 zéi 贼 thief
take	ná 拿	take it easy	fàng xīn 放 心
luggage	xíngli 行 李	glass	bōli 玻 璃

ahead	qiánmian 前面	send e-mail	fā yóujiàn 发邮件
step	táijiē 台阶	Beijing railway station	Běijīng Zhàn 北京站
kiss	wěn 吻	passenger	chéngkè 乘客
keep	bǎochí 保持	don't forget...	bié wàngjì ... 别忘记……
distance between two cars	chējù 车距	it's time to do something	gāi ... le 该……了
cap, hat	màozi 帽子	take care	dāngxīn /zhùyì diǎnr 当心/注意点儿

asks

🐸 **Complete the following short dialogues.**

1. In a taxi

A: Shānghǎi Lù dào le.
上海 路到了。

B: Qǐng dǎ zhāng fāpiào.
请 打 张 发票。

A: Hǎode, _bié wàngjì_ ná xíngli.
好的， 别忘记 拿 行李。

B: Xièxie!
谢谢！

A: Kāi mén de shíhou _请当心)_
开门 的时候_____。

2. At a bus stop

A: Chē lái le, wǒ yào shàngqu le.
车来了，我 要 上 去 了。

B: Chē shang rén hěn duō, _小心)小偷_
车 上 人很 多，_____。

A: Fàng xīn ba.
放 心 吧。

54

       Dào jiā   gěi wǒ dǎ diànhuà.

 B：到 家＿＿＿＿＿＿＿＿给 我 打 电 话。

       Hǎode.

 A：好 的。

🐧 Look and say.

Use words and expressions such as

         xiǎoxīn   zhùyì   dāngxīn

Warning—小心   注意   当心

🐧 What do you say?

1. Wang Ning is going to leave your home, and you remind him to take his cap.

2. You see Wang Ning off at the airport, and remind him to send an e-mail to you after arriving.

3. After a heavy snow fall, many roads are covered with deep snow. You remind Bai Yun to be careful not to fall when she is going out.

🐧 Listen and do the following exercises.

1. Complete the following dialogue.

   (in the company, David is about to take a holiday)

       Wǒ   sān diǎn de fēijī.

 A：我＿＿＿＿＿＿＿，三 点 的 飞 机。

       Dàwèi,   nǐ de hùzhào.

 B：大 卫，你 的 护 照。

       Ò,   wàng le.

 A：哦，＿＿＿＿＿＿＿忘 了。

       Dào nǎr   gěi wǒmen jì míngxìnpiàn.

 B：到 那 儿＿＿＿＿＿＿给 我 们 寄 明 信 片。

Měi wèntí.
A: 没 问 题。

Yílù píng'ān!
B: 一 路 平 安!

2. Answer the following questions.

(in a drugstore)

(1) How many types of medicine have been mentioned in the dialogue?

(2) When should the red medicine be taken?

🐛 Reading.

2	1	0	0	2	4

Bái Yún:
白云：

　　Wǒ dào Chéngdū le, zhèlǐ de
　　我 到 成 都 了，这 里 的

xiǎochī yòu duō yòu piányi, jiùshì
小 吃 又 多 又 便 宜，就 是

tiānqì yǒudiǎnr rè. Míngtiān wǒ
天 气 有 点 儿 热。明 天 我

Nánjīng Shànghǎi Lù yìbǎi èrshí'èr hào
南 京 上 海 路 122 号

jiù qù Jiǔzhàigōu le, tīngshuō nàlǐ
就 去 九 寨 沟 了，听 说 那 里

Dàtián Gōngsī
大 田 公 司

hěn piàoliang. Nǐmen zěnmeyàng? Wǒ
很 漂 亮。你 们 怎 么 样? 我

Bái Yún xiǎojiě shōu
白 云 小 姐 收

hěn xiǎng nǐmen.
很 想 你 们。

Dàwèi
大 卫

Dàwèi
大 卫

èr líng líng liù nián shí yuè èrshí'èr rì
2006 年 10 月 22 日

6	1	0	0	0	0

Notes:

Chéngdū	Chengdu (name	tīngshuō	
成 都	of a city)	听 说	hear of

xiǎochī		Nánjīng	
小吃	snacks	南京	Nanjing (name of a city)

Jiǔzhàigōu

九寨沟　Jiuzhai valley (name of a scenic spot)

Choose the correct answer to the questions according to the postcard above.

1. Where is David?

    a. In Nanjing.　　b. In Chengdu.　c. In Shanghai.　d. In Jiuzhai valley.

2. What does David dislike about Chengdu?

    a. scenery　　　b. snacks　　　c. weather　　　d. traffic

Cultural tips

药房 Pharmacy

A chemist's shop in China is usually open for 24 hours. During the night, customers can buy the emergency medicine they need through the shop assistant on duty only by ringing the doorbell. Recently the scope of the chemist's shop is getting wider. In the chemist's, besides medicine, people can also buy things such as health products, make-up and so on.

Character writing

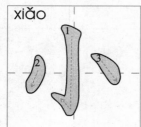

xiǎo

xiǎo	xiǎo	xiǎo	xiǎo	xiǎo	xiǎo	xiǎo	xiǎo	xiǎo
小	小	小	小	小	小	小	小	小

xīn									
心	心	心	心	心	心	心	心	心	

dì									
地	地	地	地	地	地	地	地	地	

huá									
滑	滑	滑	滑	滑	滑	滑	滑	滑	

duǎn									
短	短	短	短	短	短	短	短	短	

xìn									
信	信	信	信	信	信	信	信	信	

Chapter 6

Could you please drive faster?

Learn to

- Urge someone to do something
- Say 能不能快点儿 néng bu néng kuài diǎnr
  再快点儿 zài kuài diǎnr
  我去催一下 wǒ qù cuī yíxià

New words and expressions

huǒchēzhàn 火 车 站	railway station	gǎn bu shàng 赶 不 上	can't catch up with
kuài diǎnr *gǎn kuài* 快 点 儿 *or 赶 快*	a little bit quicker	bànfǎ 办 法	way, means *fāng fǎ 方法 (more formal)*
yǐjīng 已 经	already	jí shì 急 事	urgent matter
gòu kuài de 够 快 的	quickly enough	máfan 麻 烦	trouble
zài 再	even more	qǐng shāo děng 请 稍 等	please wait a moment *qǐng děng yi xià 请等一下*
gāofēng shíjiān 高 峰 时 间	rush hour	yòng chá 用 茶	enjoy the tea
kuài bu liǎo 快 不 了	can't be quicker	cuī 催	urge
wǒmen 我 们	we	tèbié 特 别	especially / special
gǎn huǒchē 赶 火 车	catch the train	lái bu jí 来 不 及	be too late

*来 得 及 on time
almost too late
快来不及 nearly late*

Dialogue

1 *David (D) and his colleague (C) are in a taxi, talking with the taxi driver (T).*

Qù nǎr?
T: 去 哪 儿？

Huǒchēzhàn.
D: 火 车 站。

Shīfu, néng bu néng kuài diǎnr?
C: 师 傅，能 不 能 快 点 儿？

Wǒ yǐjīng gòu kuài de le.
T: 我 已 经 够 快 的 了。

Zài kuài diǎnr, xíng ma?
D: 再 快 点 儿，行 吗？

Xiànzài shì gāofēng shíjiān, wǒ kuài bu liǎo.
T: 现 在 是 高 峰 时 间，我 快 不 了。

Wǒmen yào gǎn qī diǎn de huǒchē, màn le
D: 我 们 要 赶 七 点 的 火 车，慢 了

jiù gǎn bu shàng le.
就 赶 不 上 了。

Nǐmen wèishénme bù zǎo diǎnr chūlai ne?
T: 你 们 为 什 么 不 早 点 儿 出 来 呢？

Méi bànfǎ, gāng kāi wán huì.
D: 没 办 法，刚 开 完 会。

T: Where do you want to go?

D: The railway station, please.

C: Could you please drive fast?

T: I am driving fast enough.

D: Can you drive even faster, please?

T: It is rush hour now. I can't drive quickly.

D: We have to catch the train at 7 p.m. If you drive slowly, we will miss it.

T: Why didn't you leave earlier?

D: We couldn't! The meeting had just concluded.

② *David (D) and his friends talk to a waitress (W) in a restaurant.*

Cài diǎn hǎo le ma?
W: 菜 点 好 了 吗？

Hǎo le. Wǒmen yǒu jí shì. Máfan nín kuài yìdiǎnr.
D: 好 了。我 们 有 急 事。麻 烦 您 快 一 点 儿。

Hǎode. Qǐng shāo děng.
W: 好 的。请 稍 等。

Qǐng xiān yòng chá.
请 先 用 茶。

(shí fēnzhōng hòu)
（10 分 钟 后）

Xiǎojiě, wǒmen dōu děng le shí
D: 小 姐，我 们 都 等 了 十

fēnzhōng le, cài zěnme hái bù lái a?
分 钟 了，菜 怎 么 还 不 来 啊？

Bù hǎoyìsi, wǒ qù cuī yíxià.
W: 不 好 意 思，我 去 催 一 下。

(yì fēnzhōng hòu)
（1 分 钟 后）

Zhēn duìbuqǐ, jīntiān wǒmen zhèr
真 对 不 起，今 天 我 们 这 儿

rén tèbié duō. Qǐng zài děng yíhuìr.
人 特 别 多。请 再 等 一 会 儿。

Wǒmen yī diǎn yǒu shìr, kuài
D: 我 们 一 点 有 事 儿，快

lái bu jí le.
来 不 及 了。

(nearly)
too late

Hǎode, wǒ zài qù cuī yíxià.
W: 好 的，我 再 去 催 一 下。

Xièxie!
D: 谢 谢！

W: Have you ordered yet?
D: Yes, here you are. We are in a hurry, could you please be quick?
W: All right! Please wait a minute. Please have the tea first.
(ten minutes later)
D: Excuse me, we have been waiting for ten minutes, but our food hasn't come yet.
W: I'm sorry. I will go and ask the kitchen for you.
(one minute later)
I'm really sorry. There are too many people in our restaurant today. Please wait a few more minutes.
D: We have something urgent to do at 1 o'clock. It will be too late for us if we can't have our order now.
W: All right, I will go and try again.
D: Thanks!

Language notes

The structures "快点儿(kuài diǎnr)", "快(kuài)＋ Verb" or "快点儿(kuài diǎnr)＋ Verb" are used to urge someone or to ask someone to hurry up.

e.g.
Néng bu néng kuài diǎnr?
1. 能 不 能 快 点 儿 ？
Can you be a little bit faster?

Wǒmen zài děng nǐ, nǐ kuài lái!
2. 我 们 在 等 你 ， 你 快 来 ！
We are waiting for you, come here right now.

Bié shuō huà le, kuài diǎnr chī ba.
3. 别 说 话 了 ， 快 点 儿 吃 吧 。
Don't speak, eat it quickly.

"Verb＋得(de)/不(bu)＋上(shàng)" indicates an action can/cannot be completed.

Wǒ yào gǎn qī diǎn de huǒchē, màn le jiù gǎn bu shàng le.
e.g. 1. 我 要 赶 七 点 的 火 车 ， 慢 了 就 赶 不 上 了 。
I have to catch the train at 7 p.m. If I don't hurry, I'll miss it.

Tā hěn máng, wǎnshang bā diǎn cái chī de shàng fàn.
2. 他 很 忙 ， 晚 上 八 点 才 吃 得 上 饭 。
He is so busy that he won't have dinner until 8 o'clock in the evening.

Useful words and expressions

English	Pinyin	Chinese	English	Pinyin	Chinese
develop films	xǐ zhàopiàn	洗照片	gift	lǐwù	礼物
on a business trip	chū chāi	出差	go to/use the washroom	shàng cèsuǒ	上 厕所
bank	yínháng	银行	get married	jié hūn	结婚
pay (water & electricity) bills	jiāo shuǐdiànfèi	交水电费	hurry up	gǎnkuài	赶快
overdue, expire	guò qī	过期	come out quickly	kuài chūlai	快出来

62

open quickly	kuài dǎkāi 快 打 开	come down quickly	kuài xiàlai 快 下 来
come back quickly	kuài huílai 快 回 来	it's too late	shíjiān bù zǎo le 时 间 不 早 了
open the door quickly	kuài kāi mén 快 开 门	it will be late	yào chídào le 要 迟 到 了
get up quickly	kuài qǐ chuáng 快 起 床		快点出

Tasks

Complete the following short dialogues.

1. In a photographic shop

什么時候

Zhàopiàn kěyǐ xǐ hǎo?
A: 照片 最早快 可以 洗好？

Míngtiān xiàwǔ.
B: 明 天 下 午 。

ke yi jia kuai ma?
可以加快吗？

Wǒ míngtiān xiàwǔ yào chū chāi.
A: 能不能快单 我 明 天 下 午 要 出 差 。

Nà nǐ zhōngwǔ lái kànkan ba.
B: 那 你 中 午 来 看 看 吧 。

2. In the street

Nǐ qù nar
A: 你 去 那 儿 ？

Qù yínháng jiāo shuǐdiànfèi.
B: 去 银 行 交 水 电 费 。

Āiyā, wǒmen jiā yě hái méi jiāo ne.
A: 哎 呀 , 我 们 家 也 还 没 交 呢 。

qù ba. Míngtiān jiù guò qī le.
B: 赶快 去 吧 。 明 天 就 过 期 了 。

What do you say?

1. It's your best friend's birthday. You really want to know what kind of gift is in the good-looking pack.
2. It's the first snow this winter. You are so excited that you call everybody out.

3. The door of the washroom is shut, and your roommate is in it. You really want to use the washroom.

4. Your boyfriend/girlfriend went to another city, and you miss him/her very much. You call him/her to come back sooner.

Create conversations according to the following situations.

1. A boy meets his girlfriend in the park, but he has been waiting for her for 10 minutes. He calls her and asks her to hurry up.

2. It is 7 o'clock in the morning. A boy is still in bed and his mother urges him to get up.

3. A 30-year-old Chinese girl is still single. Her mother really worries about that, and tries to ask her to find a boyfriend soon.

4. A husband usually finishes work at 5:30 p.m. It is 7 o'clock, and he hasn't come home yet. His wife gives him a call and asks him to come home soon.

Listen and do the following exercises.

1. Answer the following questions.

    (at a bank)

    (1) How long has the customer been waiting in the bank?

    (2) Why has the customer been waiting for such a long time?

2. Complete the following dialogue.

    (at the gate of Bai Yun's house, her friends are waiting for her to drive for an outing)

    Bái Yún ne?
    A：白云呢？

    Hái zài lóu shang zhǔnbèi ne!
    B：还在楼上　准备呢！

    Ràng tā kuài diǎnr   chē mǎshàng jiù yào lái le.
    A：让　她快点儿 _____，车马上　就要来了。

    Bái Yún,
    B：(to Bai Yun）白云，_____！

    Bú yào cuī wǒ le,   wǒ mǎshàng jiù hǎo.
    C：不要催我了，我马上　就好。

🐸 Reading.

kuài diǎnr gěi wǒ sòng   wēishēngzhǐ
快点儿给我送(send)卫生纸(toilet paper)

Sì yuè yī hào shàngwǔ,　Wáng xiānsheng zài bàngōngshì shí dùzi
四月一号上午，王先生在办公室时肚子

bù shūfu,　jiù qù le cèsuǒ.　Sān fēnzhōng hòu cái fāxiàn
(abdomen)不舒服，就去了厕所。三分钟后才发现(find)

cèsuǒ de wēishēngzhǐ méiyǒu le.　Tā hěn zhāojí,　jiù yòng shǒujī
厕所的卫生纸没有了。他很着急(worry)，就用手机

gěi tóngshì fā le yī tiáo duǎnxìn:　"Wǒ zài cèsuǒ,　gǎnkuài gěi wǒ sòng
给同事发了一条短信："我在厕所，赶快给我送

wēishēngzhǐ."　Tóngshì huí le yī tiáo duǎnxìn:　"Jīntiān shì Yúrén Jié,
卫生纸。"同事回了一条短信："今天是愚人节

nǐ de bànfǎ bié de　　rén yǐjīng yòngguo le."
(April Fool's Day)，你的办法别的(other)人已经用过了。"

Tā yòu gěi lìng yí gè tóngshì dǎ shǒujī:　"Wǒ zài cèsuǒ,　méi
他又给另一个同事打手机："我在厕所，没

zhǐ,　kuài diǎnr gěi wǒ sòng lai."　"Jīntiān shì Yúrén Jié,　nǐ zěnme
纸，快点儿给我送来。""今天是愚人节，你怎么

gēn wǒ yòng yíyàng de bànfǎ!"　Tóngshì shuō wán　　jiù guà　　le
跟我用一样的办法！"同事说完(finish)就挂(ring off)了

diànhuà.
电话。

Answer the question according to the passage.

How do you think Mr. Wang finally managed to get out of the washroom?

Cultural tips

When food is served in a Chinese restaurant, people usually follow these principles: cold dishes come first and hot ones second; soup comes before main dishes, and fruit comes last. When hot dishes are served, ordinary dishes come before special dishes; dishes for drinks come before the ones for staple food, and salty dishes come before sweet ones.

Before any food is served, customers are usually given a pot of tea as an appetizer, which is free of charge.

Character writing

huǒ	huǒ	huǒ	huǒ	huǒ	huǒ	huǒ	huǒ	huǒ
火	火	火	火	火	火	火	火	火

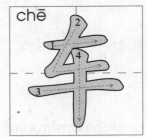

chē	chē	chē	chē	chē	chē	chē	chē	chē
车	车	车	车	车	车	车	车	车

zhàn	zhàn	zhàn	zhàn	zhàn	zhàn	zhàn	zhàn	zhàn
站	站	站	站	站	站	站	站	站

Chapter 7

It's very unreasonable

Learn to

○ Express your satisfaction and dissatisfaction

○ Say　怎么回事啊 zěnme huí shì a
　　　很不错 hěn búcuò
　　　太不像话了 tài bú xiànghuà le

bú　jí　gé　(not)
(不) 及 格 pass exam

New words and expressions

wùyè guǎnlǐ chù 物业管理处	property (maintenance) management agency	juéde 觉得	(think) feel
yíxià 一下	for a while, once	zhēnshìde 真是的	well, really (expressing dissatisfaction)
lóudào 楼道	corridor	jiā 家	a measure word for company
dēng 灯	light	Guójì Lǚxíngshè 国际旅行社	International Travel Agency
yìzhí 一直	always	bú xiànghuà 不像话	terrible, unreasonable
zěnme huí shì 怎么回事	what's the matter	fúwù 服务	service
lóu 楼	floor	tàidu 态度	attitude
jíshí 及时	in time		

zěn me kě yǐ zhè yàng?　how can
怎么可以这样？　this be?
tài bú xiàng huà le　it's not
太不像话了　acceptable

Dialogue

1 *Laura (L) is at a property management agency office (P).*

Nǐ hǎo, zhèlǐ shì wùyè guǎnlǐ chù ma?
L: 你好，这里是物业管理处吗？

Shìde.
P: 是的。

Wǒ yǒudiǎnr shìr xiǎng gēn nǐmen shuō yíxià.
L: 我有点儿事儿想 跟你们 说一下。

Shénme shìr?
P: 什么事儿？

Wǒmen lóudào li de dēng yǐjīng huài le hǎo jǐ tiān le, kě yìzhí
L: 我们楼道里的灯 已经坏了好几天了,可一直

méi rén lāi xiūlǐ, zěnme huí shì a?
没 人来修理，怎么回事啊？

Zhēn duìbuqǐ, wǒ mǎshàng pài rén qù kànkan. Qǐngwèn, nǐ
P: 真 对不起，我马上 派人去看看。请问，你

zhù jǐ lóu?
住几楼？

Wǒ zhù shí lóu.
L: 我住10楼。

Xièxie nǐ jíshí gàosu wǒmen,
P: 谢谢你及时告诉我们，

wǒmen yídìng huì zhùyì de.
我们 一定会注意的。

物业管理处

L: Hello, is this the property management agency office?
P: Yes.
L: I have something I want to talk with you about.
P: What is it?
L: It has been a long time since our corridor light was damaged, but no one has come to fix it. What's the matter?
P: I'm really sorry. I will immediately send someone to repair it. Could you please tell me which floor you live on?
L: I live on the 10th floor.
P: Thanks for telling us this, and we'll certainly improve our work.

② *Amy (A) asks Wang Ning (W) which travel agency is good.*

Wǒ zuìjìn xiǎng qù lǚyóu, nǐ juéde nǎ jiā lǚxíngshè hǎo?
A: 我最近想 去旅游，你觉得哪家旅行社好？

Guójì Lǚxíngshè hěn búcuò, nǐ kěyǐ qù wènwen.
W: 国际旅行社很不错，你可以去问问。

Hǎo, nà wǒ qù kànkan.
A: 好，那我去看看。

(lǚyóu huílai yǐhòu)
(旅游回来以后)

Zhēnshìde! Zhè jiā Guójì
真是的！这家国际

Lǚxíngshè yě tài bú xiànghuà le!
旅行社也太不 像话 了！

Zěnme le?
W: 怎么了？

Fúwù tàidu bù hǎo, yòu guì.
A: 服务态度不好，又贵。

Zěnme huì ne? Wǒ qù Hǎinán zhǎo de
W: 怎么会呢？我去海南找 的

yě shì zhè jiā, juéde hái búcuò!
也是这家，觉得还不错！

Wǒ kě méi juéde.
A: 我可没觉得。

Hǎo le, bié bù gāoxìng le, xià cì
W: 好了，别不 高兴了，下次

zài gěi nǐ jièshào yì jiā hǎo de.
再给你介绍一家好的。

A: I'm planning to go on a tour soon. Which travel agency do you think is good?

W: The International Travel Agency is very good. You should go and ask them.

A: OK. I will.
(after returning from the tour)
It was really bad! The International Travel Agency is quite unreasonable.

W: What's wrong?

A: The service was not good, and the price was expensive.

W: How could that have happened? I went to Hainan with this travel agency. I thought it was not bad.

A: I don't think so.

W: All right. Don't be angry. Next time I'll definitely find you a good one.

Language notes

"问问(wēnwen)" Reduplicating a verb, i.e. Verb + Verb usually indicates a relaxed or casual mood.

e.g.
1.
    Nǐ   kěyǐ   qù wēnwen.
    你 可 以 去 问 问 。
    You may go and ask.

2.
    Nà wǒ qù kànkan.
    那 我 去 看 看 。
    Then I'll go and have a look.

"好了(hǎo le)" is a marker to terminate/alter the topic in a conversation or an action.

e.g.
1.
    Hǎo le,   bié bū gāoxìng le,   xià cì zài gěi nǐ jièshào yì jiā hǎo de.
    好 了，别 不 高 兴 了，下 次 再 给 你 介 绍 一 家 好 的。
    All right. Don't be angry any more. Next time I'll definitely find you a good one.

2. A:
    Nǐ tīng wǒ jiěshì.
    你 听 我 解 释 。
    Please listen to my explanation.

B:
    Hǎo le,   wǒmen gǎitiān zàishuō ba.
    好 了，我 们 改 天 再 说 吧 。
    Well, we'll talk about it some other day.

Useful words and expressions

English	Pinyin	Chinese	English	Pinyin	Chinese
a measure word for vehicle	liàng	辆	hourly paid domestic worker	zhōngdiǎngōng	钟点工
vehicle	chē	车	satisfy	mǎnyì	满意
price	jiàgé	价格	air conditioner	kōngtiáo	空调
picture	huà	画	flight	hángbān	航班
think	rènwéi	认为	cancel	qǔxiāo	取消
nearby	pángbiān	旁边	other parts of a country	wàidì	外地

notice	tōngzhī 通知	extremely	……jí le ……极了
hairdresser's	měifàtīng 美发厅	too	tài … le 太……了
hair style	fàxíng 发型	very good	zhēn búcuò 真不错
sweet	tián 甜	not very good	bù zěnmeyàng 不怎么样
salty	xián 咸		

suān 酸 là sour 辣 spice

kǔ 苦 bitter

甜 酸 辣 苦

Tasks

✿ Complete the following short dialogues.

1. **At a car showroom**

A：先生，你看这辆 车怎么样？
Xiānsheng, nǐ kàn zhè liàng chē zěnmeyàng?

B：这辆_____。怎么卖？
Zhè liàng　　　　Zěnme mài?

A：十一万八。
Shíyī wàn bā.

B：车 很 好，_____价格贵了点儿。
Chē hěn hǎo,　　　jiàgé guì le diǎnr.

2. **At the gallery**

A：这 张 画儿真不错！
Zhè zhāng huàr zhēn búcuò!

B：我 觉得_____。
Wǒ juéde

A：是 吗？那你觉得哪 张 好？
Shì ma? Nà nǐ juéde nǎ zhāng hǎo?

B：旁边 的那 张_____。
Pángbiān de nà zhāng

✿ What do you say?

1. You tell your house helper that you are very pleased with the food she cooked.

2. At a telecommunication company, the manager asks for your comments on the service. You express your satisfaction with their service.

3. After air-conditioning has been installed in your house, the electrical equipment company calls you to ask whether or not you are satisfied with their service. You are very pleased with it.

Create conversations according to the following situations.

1. David recommends Starbucks to his friend because he finds its service is good.

2. Baker has found a very satisfactory job, but he has to go to another part of the country, and his Chinese girlfriend is not happy about it.

3. At the airport, the flight David has been waiting for is cancelled, but he didn't hear the announcement. He wasted the whole morning and felt very cross. So he goes to the information desk and asks about it.

4. Amy's new hair style is very good. Her friends ask her where she had it done and she tells them at the hairdresser's salon, which is located near her house.

Listen and do the following exercises.

1. Choose the correct answer to the questions.

(at a restaurant)

(1) Where are they probably?

diànyǐngyuàn   shāngdiàn   chāoshì   fàndiàn
a. 电影院   b. 商店   c. 超市   d. 饭店

(2) How does the man feel about the dish?

tài suān le   tài tián le   tài là le   tài xián le
a. 太酸了   b. 太甜了   c. 太辣了   d. 太咸了

2. Complete the following dialogue.

(in the manager's office)

Nǐ hǎo, qǐngwèn zhè shì jīnglǐ bàngōngshì ma?
A: 你好，请问 这是经理办公室 吗？
Shì, nǐ yǒu shénme shìr?
B: 是，你有 什么事儿？

A：＿＿＿＿＿＿＿＿！

Zěnme le?

B：怎么了？

Wǒ fángjiān de diànhuà huài le liǎng tiān le, wǒ shuō le hǎo jǐ cì yě méi

A：我房间的电话坏了两天了，我说了好几次也没

rén lái xiūlǐ,

人来修理，＿＿＿＿＿＿＿？

Zhēn duìbuqǐ, wǒ mǎshàng pài rén qù kànkan.

B：真对不起，我马上派人去看看。

👒 Reading.

wùyè guǎnlǐ chù dài bàn   fúwù xiàngmù   jiàgé biǎo
物业管理处代办(do sth. for sb.)服务项目(item)价格表

fúwù xiàngmù 服务项目	shōu fèi biāozhǔn 收费标准 (standard)
jì xìn 1.寄信 (send letter)	liǎng yuán / fēng 2 元 / 封
fùyìn 2.复印 (photocopy)	líng diǎn èr yuán / fēng 0.2 元/封 张
dǎyìn 3.打印 (print)	yì yuán /zhāng 1 元 /张
shūtōng 4.疏通 (clear out) 管道 guǎndào (drainage pipe)	èrshí yuán / cì 20 元 /次
xiūlǐ diàndēng 5.修理电灯 (repair light)	wǔ yuán / cì 5 元 /次

Answer the questions according to the table.

1. If you need to post two letters and one parcel how much do you have to pay?

2. If you give 300 Yuan for the first month to the hourly paid worker, how much money do you have to give to the property management agency?

Cultural tips

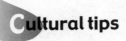

xiāo fèi zhě xié huì
消费者协会 Consumer's Association

In order to safeguard the rights of consumers, the China Consumer's Association has opened a help line at 12315. If you are not satisfied with the service in a shop, for example, or if there is a problem in the quality of the goods you purchased, you can dial 12315 to complain. Then, the Consumer's Association will investigate the issue, and send you their findings.

Character writing

lǚ	lǚ	lǚ	lǚ	lǚ	lǚ	lǚ	lǚ	lǚ
旅	旅	旅	旅	旅	旅	旅	旅	旅

xíng	xíng	xíng	xíng	xíng	xíng	xíng	xíng	xíng
行	行	行	行	行	行	行	行	行

shè	shè	shè	shè	shè	shè	shè	shè	shè
社	社	社	社	社	社	社	社	社

Chapter 8

What kind of gift do you think is suitable?

Learn to

● Discuss and negotiate with someone

● Say 你看送什么礼物好 nǐ kàn sòng shénme lǐwù hǎo
   你说呢 nǐ shuō ne
   你看这个号码怎么样 nǐ kàn zhège hàomǎ zěnmeyàng

New words and expressions

bān jiā 搬家	move house	tào 套	a set of
kàn 看	think, see	shōuyíntái 收银台	cashier
sòng 送	give	jiāo fèi 交费	pay
lǐwù 礼物	gift	pángbiān 旁边	nearby
shēnghuó yòngpǐn 生活用品	daily necessities	guìtái 柜台	counter
shāngchǎng 商场	department store	xuǎn 选	choose
kāfēihú 咖啡壶	coffee pot	wěishù 尾数	numbers at the end of (telephone numbers, etc.)
piàoliang 漂亮	beautiful	jiā qián 加钱	pay more money
háishi 还是	had better, might as well	xiéyīn 谐音	homophonic
shíyòng 实用	practical	fā cái 发财	get rich
chájù 茶具	tea set	yìsi 意思	meaning

Dialogue

1 *David (D) makes a phone call to Wang Ning (W).*

Wǒ de yí ge tóngshì bān le xīn jiā, qǐng wǒmen qù wánr,

D: 我 的 一 个 同事 搬 了 新家, 请 我们 去 玩儿,

nǐ kàn sòng shénme lǐwù hǎo?

你 看 送 什么 礼物 好？

Sòng shēnghuó yòngpǐn zuì hǎo, nǐ shuō ne?

W: 送 生活 用品 最 好, 你 说 呢？

Zuótiān wǒ zài shāngchǎng kànjiàn yí ge kāfēihú fēicháng piàoliang.

D: 昨天 我 在 商场 看见 一 个 咖啡壶 非常 漂亮。

Yě kěyǐ, búguò duì Zhōngguórén bù shíyòng, háishi huàn

W: 也 可以, 不过 对 中国人 不 实用, 还是 换

bié de ba.

别 的 吧。

Nà sòng shénme ne?

D: 那 送 什么 呢？

Zhōngguórén xǐhuan hē chá, kěyǐ

W: 中国人 喜欢 喝 茶, 可以

sòng chájù.

送 茶具。

Nà wǒ jiù mǎi tào chájù ba.

D: 那 我 就 买 套 茶具 吧。

D: One of my colleagues has moved to a new house. He has invited us to visit his house. What kind of gift do you think is suitable for him?

W: I think you'd better take something practical, don't you?

D: I saw a very beautiful coffee pot at the department store yesterday.

W: It is OK, but it is not so practical for a Chinese person. You'd better choose something else.

D: Then, what is suitable?

W: Chinese like to drink tea. You can give a tea set.

D: I'm going to buy a tea set then.

② *Wang Ning(W) accompanies Amy(A) to buy a mobile phone.*

Wǒ kàn zhè zhǒng búcuò, nǐ
W: 我 看 这 种 不 错 ，你
shuō ne?
说 呢 ?

Hǎo, jiù mǎi zhè zhǒng.
A: 好 ， 就 买 这 种 。

Nǐ xiān qù shōuyíntái jiāo fèi,
W: 你 先 去 收 银 台 交 费 ，
ránhòu zài pángbiān de guìtái
然 后 在 旁 边 的 柜 台
xuǎn hào.
选 号 。

(zài guìtái) Nǐ kàn zhège hàomǎ
A: (在 柜 台) 你 看 这 个 号 码
zěnmeyàng?
怎 么 样 ?

Búcuò, búguò wěishù shì "bā"
W: 不 错 ， 不 过 尾 数 是 "8"
de yào jiā qián de.
的 要 加 钱 的 。

Wèishénme ne?
A: 为 什 么 呢 ?

"Bā" hé "fā" xiéyīn,
W: "8" 和 "发" 谐 音 ，
yǒu "fā cái" de yìsi,
有 "发 财" 的 意 思 ，
dàjiā dōu xǐhuan.
大 家 都 喜 欢 。

Yào jiā duōshao qián?
A: 要 加 多 少 钱 ?

Èrbǎi kuài.
W: 2 0 0 块 。

Yǒu diǎnr guì, zài huàn yí ge ba.
A: 有 点 儿 贵 ， 再 换 一 个 吧 。

W: I think this model is quite nice. What do you think?
A: OK, I will buy this one then.
C: Please first pay for it at the cashier, and then choose a telephone number at the counter nearby.
A: (at the counter) How do you like this number?
W: Not bad, but you will pay extra money for a number with "8" at the end.
A: Why?
W: Because "8" sounds similar to "发", which means "to get rich" in Chinese. Everybody likes it.
A: How much more will I have to pay?
W: 200 Yuan.
A: That's a little expensive. I'd better choose another one.

Language notes

"你看(nǐ kàn)" or "你说(nǐ shuō)" is used to ask for someone's opinion usually in a question.

Nǐ kàn sòng shénme lǐwù hǎo?
e.g. 1. 你看送什么礼物好？
What kind of gift do you think is suitable?

Nǐ kàn wǒmen shénme shíhou qù Sūzhōu?
2. 你看我们什么时候去苏州？
When do you think we should go to Suzhou?

Nǐ shuō wǒmen qù nǎr chī fàn?
3. 你说我们去哪儿吃饭？
Where do you think we should go for a meal?

In oral Chinese, we often use "你说呢(nǐ shuō ne)" or "你看呢(nǐ kàn ne)" in discussion with someone or asking for opinions from others. Sometimes we may first give our own ideas and then say "你说呢" or "你看呢".

Sòng shēnghuó yòngpǐn zuì hǎo, nǐ shuō ne?
e.g. 1. 送生活用品最好，你说呢？
You'd better send something practical, don't you think so?

Wǒ kàn zhè zhǒng búcuò, nǐ shuō ne?
2. 我看这种不错，你说呢？
I think this model is quite nice. What do you think?

Wǒmen xiànzài qù cāntīng ba, nǐ kàn ne?
3. 我们现在去餐厅吧，你看呢？
Let's go to the restaurant now, shall we?

Useful words and expressions

service area	fúwùqū 服务区	vegetable stuffing	sùcài xiànr 素菜馅儿
stop	tíng 停	meat stuffing	ròu xiànr 肉馅儿
go to the toilet	fāngbiàn 方便	car	qìchē 汽车
jiaozi (dumpling)	jiǎozi 饺子	doctor of Western medicine	xīyī 西医

doctor of traditional Chinese medicine	zhōngyī 中医	yes or no	shì bu shì 是 不 是
shall we change to some other time	gǎi / huàn ge 改 / 换 个	can or cannot	néng bu néng 能 不 能
	shíjiān ba 时 间 吧	all right	xíng bu xíng 行 不 行
is that alright	hǎo / kěyǐ / xíng ma 好 / 可 以 / 行 吗	or	yào bu rán 要 不 然
can you sell it cheaper	piányi diǎnr ba 便 宜 点 儿 吧	need or not	yào bu yào 要 不 要
is that alright	hǎo bu hǎo 好 不 好		

Tasks

Complete the following short dialogues.

1. On the motorway

A: Fúwùqū mǎshàng dào le, _____
   服 务 区 马 上 到 了 ,
   xiūxi yíxià?
   休 息 一 下 ?

B: Shíjiān hái zǎo, _____ 到 下 个
   时 间 还 早 ,   dào xià ge
   fúwùqū ba?
   服 务 区 吧 ?

C: Háishi tíng ba, wǒ xiǎng fāngbiàn yíxià.
   还 是 停 吧 , 我 想 方 便 一 下 。

A: Hǎo ba.
   好 吧 。

2. Baker and his friend on the phone

A: Bèikè, wǒmen xiànzài qù Yíhéyuán,
   贝 克 , 我 们 现 在 去 颐 和 园 ,
   zěnmeyàng?
   怎 么 样 ?

B: _____ 换 个 时 间 ?
   huàn ge shíjiān?

A: Zěnme le?
   怎 么 了 ?

B: Wǒ shēntǐ yǒudiǎnr bù shūfu.
   我 身 体 有 点 儿 不 舒 服 。

What do you say?

1. Father's Day is coming, and you want to send a gift to your father in London. You discuss with your Chinese friend about what to buy.

2. You and your friends are having dumplings at a dumpling restaurant. You discuss with your friends whether to eat dumplings with vegetable stuffing or with meat stuffing.

3. You discuss with your friends what kind of car you should choose to buy.

4. You don't feel well. You discuss with your Chinese colleagues what kind of doctor you should see, a doctor of Western medicine or of traditional Chinese medicine.

Create conversations according to the following situations.

1. A customer is discussing with the clerk at the post office whether to post an item by ordinary mail or by express mail.

2. A husband is discussing with his wife whether to buy a house in the city or in the suburbs.

3. Children's Day is coming. The colleagues in your company are discussing how much to donate to the children at the orphanage.

Listen and do the following exercises.

1. Complete the following dialogue.

   (in the company)

   Jīn wǎn yìqǐ chī fàn,
   A: 今晚一起吃饭, _____?
   Méi wèntí.
   B: 没问题。
   Nǐ kàn qù kǎoyā diàn, háishi pángbiān de nǎ jiā fàndiàn?
   A: 你看去烤鸭店, 还是旁边的那家饭店?
   Háishi kǎoyā diàn ba,
   B: 还是烤鸭店吧, _____?
   Hǎo a.
   A: 好啊。

2. Answer the questions according to the dialogue.

   (make a phone call)

   (1) When are they going to Beijing?
   (2) Is Xiao Zhang able to go?

Reading.

nǐ kěyǐ hé tā shāngliang
你可以和他商量

Yǒu yí ge rén shēng bìng le, xūyào shǒushù, zhù jìn le
有一个人生病 (fall ill)了，需要手术 (operation)，住进了

yīyuàn. Tā kànjiàn hùshi fēicháng piàoliang, jiù shuō: "shǒushù
医院。他看见护士 (nurse)非常漂亮，就说："手术

hòu wǒmen yuēhuì zěnmeyàng?"
后我们约会 (date)怎么样？"

Hùshi shuō: "zhè shìr nǐ xūyào wèn wǒ nán péngyou."
护士说："这事儿你需要问我男朋友。"

"Tā zài nǎr, wǒ yào jiàn tā."
"他在哪儿，我要见他。"

Hùshi xiào zhe shuō: "bié jí, tā mǎshàng huì gěi nǐ
护士笑着说："别急 (take it easy)，他马上会给你

zuò shǒushù, nǐ kěyǐ hé tā shāngliang."
做手术，你可以和他商量。"

Answer the questions according to the passage.

Did the nurse agree to date him? How did you know it?

Cultural tips

The Chinese people usually choose numbers that sound auspicious when they buy mobile phones. Numbers such as "8" and "518" in particular are favoured, for "518" sounds like "我要发(wǒ yào fā, I will get rich)".

People love to choose house numbers, phone numbers and car numbers such as "666", "888", etc, all of which sound auspicious. When they open a new business, people choose dates such as "March 8th" or "September 8th" with the meaning of "get rich" and "make an ever-lasting fortune" respectively. "14" must be avoided because it sounds like "要死(yào sǐ, will die)".

If you take a lift in a building in China, you may not find the floors numbered 13, 14 or others. It is not strange because Chinese people do not like these numbers.

Character writing

shōu	shōu	shōu	shōu	shōu	shōu	shōu	shōu	shōu
收	收	收	收	收	收	收	收	收

yín	yín	yín	yín	yín	yín	yín	yín	yín
银	银	银	银	银	银	银	银	银

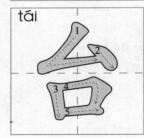

tái	tái	tái	tái	tái	tái	tái	tái	tái
台	台	台	台	台	台	台	台	台

shāng	shāng	shāng	shāng	shāng	shāng	shāng	shāng	shāng
商	商	商	商	商	商	商	商	商

chǎng	chǎng	chǎng	chǎng	chǎng	chǎng	chǎng	chǎng	chǎng
场	场	场	场	场	场	场	场	场

Chapter 9

There is a pub on the ground floor

Learn to

○ Describe locations and give reasons

○ Say 马路对面有一座红色的楼 mǎlù duìmiàn yǒu yí zuò hóngsè de lóu
一楼是酒吧 yī lóu shì jiǔbā
因为……，所以…… yīnwèi ..., suǒyǐ ...

New words and expressions

fùjìn 附近	nearby		yuǎn 远	far	
wǎngbā 网吧	Internet bar		fēnzhōng 分钟	minute	
cóng 从	from		shàng wǎng 上 网	use the Internet	
yìzhí 一直	straight		zhème 这么	so	
wǎng 往	to		diànnǎo 电脑	computer	
dōng 东	east		zuì 最	most	
hónglǜdēng 红绿灯	traffic lights		bǐjiào 比较	relatively	
guǎi 拐	turn		suǒyǐ 所以	so, therefore	
zuò 座	a measure word for buildings		shèxiàngtóu 摄像头	webcam	
lóu 楼	building		chuānghu 窗户	window	
jiǔbā 酒吧	pub		dēngjì 登记	register	
lí 离	away from				

Dialogue

1 *David (D) looks for an Internet bar and asks a gentleman (G) in the street.*

Qǐngwèn fùjìn yǒu wǎngbā ma?
D: 请问 附近有 网吧 吗？

Nǐ cóng zhèr yìzhí wǎng dōng zǒu, zài dì yī ge hónglǜdēng
G: 你 从 这儿一直 往 东 走，在第一个红绿灯

wǎng yòu guǎi, mǎlù duìmiàn yǒu yí zuò hóngsè de lóu,
往 右 拐，马路对面 有 一座 红色的楼，

yī lóu shì jiǔbā, èr lóu jiù shì wǎngbā.
一楼 是 酒吧，二楼就是 网吧。

Nàge wǎngbā jiào shénme míngzi?
D: 那个 网吧 叫 什么 名字？

Jiào Yǒuyì Wǎngbā.
G: 叫 友谊 网吧。

Lí zhèr yuǎn ma?
D: 离 这儿 远 吗？

Zǒu lù shí fēnzhōng ba.
G: 走 路 十 分钟 吧。

Xièxie.
D: 谢谢。

Bú kèqi.
G: 不客气。

D: Excuse me. Are there any Internet bars nearby?
G: Go straight along there, and turn right at the first traffic light. Then you will see a red building on the opposite side of the street. There is a pub on the ground floor and the Internet bar is on the first floor.
D: What's the name of the bar?
G: The Friendship Internet Bar.
D: Is it far from here?
G: About a ten minute walk.
D: Thank you very much.
G: You're welcome.

② David (D) asks the receptionist (R) in an Internet bar.

Qǐngwèn nǐmen zhèlǐ shàng wǎng
D: 请问 你们这里上 网

duōshao qián yì xiǎoshí?
多少 钱 一 小 时 ？

Wǔ kuài qián.
R: 五 块 钱 。

Zěnme zhème guì?
D: 怎么 这么 贵 ？

Yīnwèi wǒmen wǎngbā de diànnǎo
R: 因 为 我 们 网 吧 的 电 脑

dōu shì zuì xīn de, suǒyǐ bǐjiào guì.
都 是 最新 的 ，所以 比较 贵 。

Nǐmen de diànnǎo yǒu shèxiàngtóu ma?
D: 你们的电脑 有 摄像头 吗 ？

Chuānghu pángbiān de dōu yǒu.
R: 窗 户 旁边 的 都 有 。

Wǒ jiù zuò nàr ba.
D: 我 就 坐 那 儿 吧 。

Hǎode. Qǐng nín xiān dēngjì yíxià.
R: 好 的 。 请 您 先 登 记 一 下 。

D: How much do you charge for an hour online?
R: 5 Yuan.
D: Why is it so expensive?
R: Our computers are the most up-tp-date, so it is relatively expensive.
D: Do the computers have webcams?
R: The computers near the window have webcams.
D: I would like to sit there.
R: OK, please register first.

Language notes

"Location Word/Phrase of Place + 有 (yǒu)/是 (shì) + Noun" is used to indicate the existence of something or somebody at a place.

Mǎlù duìmiàn yǒu yí zuò hóngsè de lóu.
e.g. 1. 马 路 对 面 有 一 座 红 色 的 楼 。
On the opposite side of the street there is a red building.

Yī lóu shì jiǔbā,   èr lóu shì wǎngbā.
2. 一楼是酒吧，二楼是网吧。
There is a pub on the ground floor and the Internet bar is on the first floor.

Dōngbian shì yóujú.
3. 东边是邮局。
On the east side of the street there is a post office.

"因为……，所以……(yīnwèi ... , suǒyǐ ...)" is used to explain the cause and the result of something. "因为" means "because". "所以" means "so, therefore".

Yīnwèi wǒmen wǎngbā de diànnǎo dōu shì zuì xīn de, suǒyǐ bǐjiào guì.
e.g. 1. 因为我们网吧的电脑都是最新的，所以比较贵。
Our Internet bar computers are the most up-to-date, so it is relatively expensive.

Yīnwèi zhèr tiānqì tài rè le, suǒyǐ hái méi xíguàn.
2. 因为这儿天气太热了，所以还没习惯。
I have not got used to it yet because it's too hot here.

Yīnwèi zhège fàndiàn de cài yòu hǎochī yòu piányi, suǒyǐ wǒ chángcháng qù.
3. 因为这个饭店的菜又好吃又便宜，所以我常常去。
The dishes are delicious and cheap, so I often go to this restaurant.

Useful words and expressions

underground train	dìtiě 地铁		on a business trip	chū chāi 出差
park (a car)	tíng 停		south	nán (bian) 南（边）
cosmetic surgery	zhěng róng 整容		west	xī (bian) 西（边）
look for a job	zhǎo gōngzuò 找工作		north	běi (bian) 北（边）
lady's dress	nǚ zhuāng 女装		left	zuǒ (bian) 左（边）
study abroad	liú xué 留学		right	yòu (bian) 右（边）

front	qián (bian) 前（边）	northeast	dōngběi 东北
at the back	hòu (bian) 后（边）	northwest	xīběi 西北
middle	zhōngjiān 中间	how to go to	zěnme zǒu 怎么走
southeast	dōngnán 东南	so as to, in order to	wèile 为了
southwest	xīnán 西南		

Tasks

Complete the following short dialogues.

1. In the street

      Qǐngwèn, bówùguǎn
A: 请问，博物馆 _____?

      Zuò dìtiě dào Jiālèfú Chāoshì xià, bówùguǎn jiù
B: 坐地铁到家乐福超市下，博物馆就
               yóujú de nánbian.
   _____ 邮局的南边。

      Dìtiězhàn
A: 地铁站 _____?

      Nǐ   zhèr   yìzhí   nán zǒu, jiù huì kànjiàn de.
B: 你 _____ 这儿一直 _____ 南走，就会看见的。

      Xièxie.
A: 谢谢 。

2. In the street

      Xiǎojiě,   nǐ de chē bù néng tíng zài zhèlǐ.
A: 小姐，你的车不能停在这里。

B: _____?

                    zhèlǐ jìnzhǐ tíng chē, qǐng kàn nàge páizi.
A: _____ 这里禁止停车，请看那个牌子。

      Bù   hǎoyìsi,   wǒ méi kànjiàn.
B: 不好意思，我没看见。

What do you say?

1. You tell your friend why you came to China.

2. You tell your friend that you often go to that store because it's not far and the goods are cheap.

3. Tell a tourist how to reach the Bank of China (on foot and by car).

Create conversations according to the following situations.

1. Wang Ning invites David to his home this weekend, and he tells David how to get to his house.
2. Amy asked the guard why her train is still waiting in the railway station.
3. Helen and Bai Yun discuss the reasons why people want to have cosmetic surgery.
4. Amy asks the shop assistant where the toilet is, and the shop assistant tells her it is beside the ladies dress counter on the third floor.

Listen and do the following exercises.

1. Choose the correct answer to the questions.

(at a restaurant)

(1) Who is unhappy?

Dàwèi de nǚ péngyou
a. 大卫的女朋友

Wáng Níng de nǚ péngyou
b. 王宁的女朋友

Wáng Níng de tóngshì
c. 王宁的同事

Wáng Níng
d. 王宁

(2) Why is Wang Ning's girlfriend going to Britain?

qù liú xué
a. 去留学

qù chū chāi
b. 去出差

qù gōngzuò
c. 去工作

qù lǚyóu
d. 去旅游

2. Complete the following dialogue.

(in the street)

Qǐngwèn, qù gōng'ānjú
A: 请问，去公安局_____？

Nǐ cóng zhèr yìzhí   zài dì èr ge hónglǜdēng wǎng yòu
B: 你从这儿一直_____，在第二个红绿灯往右
guǎi, mǎlù   yǒu yí zuò báisè de dà lóu jiù shì.
拐，马路_____有一座白色的大楼就是。

Zǒu lù qù yuǎn ma?
A: 走路去远吗？

Yǒudiǎnr yuǎn,   kěyǐ
B: 有点儿远，可以_____。

                              zuò?
A: _____坐？

Jiù zài pángbiān. Zuò yī lù.
B: 就在旁边。坐1路。

Xièxie.
A: 谢谢。

☃ Reading.

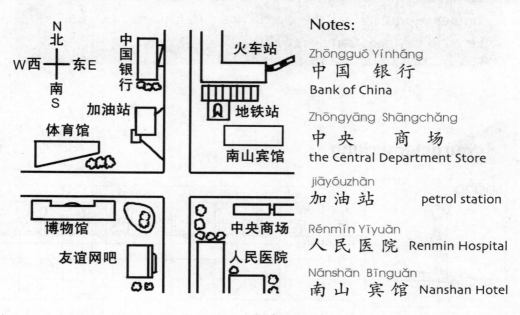

Notes:

Zhōngguó Yínháng
中国 银行
Bank of China

Zhōngyāng Shāngchǎng
中央 商场
the Central Department Store

jiāyóuzhàn
加油站   petrol station

Rénmín Yīyuàn
人民医院 Renmin Hospital

Nánshān Bīnguǎn
南山 宾馆 Nanshan Hotel

Answer the questions according to the picture above.

1. What is opposite the stadium?
2. Is the underground station on the south or on the north of the railway station?
3. How can you get to the Friendship Internet Bar from the Nanshan Hotel?

Cultural tips

There are many location words in Chinese, such as "东 (dōng), 南(nán), 西(xī), 北(běi), 前(qián), 后(hòu), 左(zuǒ), 右 (yòu), 上(shàng), 下(xià), 里(lǐ), 外(wài), 中间(zhōngjiān), 旁 边(pángbiān), 对面(duìmiàn)". The usage of these words is similar with those of many other languages. There are, however, differences in sequential orders between English and Chinese. For example, people say "northeast" in English, and "东北(dōngběi)" in Chinese. Location also implies superiority in China. Facing east and south in China represents respected dignity. For example, Chinese people have a tradition that the guests

should be seated on the west or the north of the dinner table and the host on the east. "东道主(dōngdàozhǔ, east located chair)" is another expression for the word "host" in Chinese. "东道主" of the 2008 Olympic Games is China.

Character writing

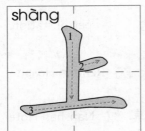

shàng	shàng	shàng	shàng	shàng	shàng	shàng	shàng	shàng
上	上	上	上	上	上	上	上	上

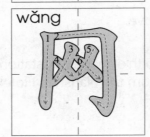

wǎng	wǎng	wǎng	wǎng	wǎng	wǎng	wǎng	wǎng	wǎng
网	网	网	网	网	网	网	网	网

jiǔ	jiǔ	jiǔ	jiǔ	jiǔ	jiǔ	jiǔ	jiǔ	jiǔ
酒	酒	酒	酒	酒	酒	酒	酒	酒

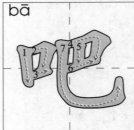

bā	bā	bā	bā	bā	bā	bā	bā	bā
吧	吧	吧	吧	吧	吧	吧	吧	吧

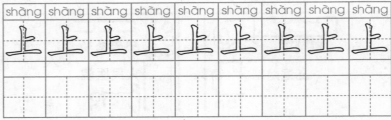

Chapter 10

I really want to go there again

Learn to

- Express your hopes and wishes

- Say　真想再…… zhēn xiǎng zài ...
　　　恨不得 hènbude
　　　要是……就好了 yàoshi ... jiù hǎo le

New words and expressions

měishí yì tiáo jiē 美食一条街	a street with many food shops, food street	fángzi 房子		house
jiǎozi 饺子	jiaozi (dumpling)	chá 查		check, look
…… jí le ……极了	extremely	yàoshi 要是		if
xià cì 下次	next time	héshì 合适		suitable
yìqǐ 一起	together	měi ge yuè 每个月		per month
hènbude 恨不得	one would if you could, itch to	zuǒyòu 左右		about
zū 租	rent			

Dialogue

1 *Amy (A) calls her neighbour Shanben(S).*

Zuó wǎn gěi nǐ dǎ diànhuà, nǐ bú zài jiā.
A: 昨晚给你打电话，你不在家。

Wǒ qù "měishí yì tiáo jiē" chī jiǎozi le.
S: 我去"美食一条街"吃饺子了。

Shì ma? Wēidào zěnmeyàng?
A: 是吗？味道怎么样？

Hǎo jí le! Zhēn xiǎng zài qù chī yí cì!
S: 好极了！真想再去吃一次！

Xià cì wǒ hé nǐ yìqǐ qù.
A: 下次我和你一起去。

Hǎo a.
S: 好啊。

Hènbude jīntiān jiù qù.
A: 恨不得今天就去。

Jīntiān wǒ hái yǒudiǎnr shìr,
S: 今天我还有点儿事儿，

gǎitiān ba.
改天吧。

A: Last night I called you, but you were not at home.
S: I went to have jiaozi in the food street.
A: Really? How was it (the taste)?
S: Great! I really want to go there again!
A: Can I go with you next time?
S: No problem.
A: I wish I could go today.
S: I've got things to do today. Let's go another day.

2 *David (D) wants to rent a house, and he talks to the desk clerk (C) in an estate agency.*

Xiānsheng, nín xiǎng zū fáng háishi
C: 先生， 您 想 租房还是

mǎi fáng?
买 房？

Wǒ xiǎng zū yí tào fùjìn de
D: 我 想 租一套附近的

fángzi.
房子。

Ò, wǒ lái chácha.
C: 哦， 我 来 查查。

Xièxie!
D: 谢 谢！

(dǎyìn wénjiàn, ránhòu gěi Dàwèi)
C: (打 印 文 件 ， 然 后 给 大 卫)

Nín kàn zhè tào zěnmeyàng?
您 看 这 套 怎 么 样？

Ňg, hái búcuò! Yàoshi néng
D: 嗯， 还 不 错！ 要 是 能

piányi yìdiǎnr jiù hǎo le.
便 宜 一 点 儿 就 好 了 。

Nín juéde duōshao qián héshì ne?
C: 您 觉 得 多 少 钱 合 适 呢？

Měi ge yuè liǎng qiān
D: 每 个 月 两 千

kuài zuǒyòu ba.
块 左 右 吧 。

C: Would you like to rent a house or buy one, sir?

D: I want to rent a house nearby.

C: I see. Let me have a look for you.

D: Thank you!

C: (prints a sheet, and gives it to David) How about this one?

D: Yeah, it looks good! I wish it were cheaper.

C: How much are you prepared to pay?

D: About two thousand Yuan per month.

Language notes

"极了(jí le)" is used after adjectives and some verbs to mean "extremely".

e.g.
1.
Hǎo jí le!
好 极 了 ！
Great!

2.
Wǒ jīntiān máng jí le.
我 今 天 忙 极 了 。
I am extremely busy today.

3.
Zhège lǐwù tā xǐhuan jí le.
这 个 礼 物 他 喜 欢 极 了 。
He liked the gift very much.

"左右(zuǒyòu)" is often used after a specific number to indicate an approximation.

e.g.
1.
Liǎng qiān kuài zuǒyòu ba.
两 千 块 左 右 吧 。
About two thousand Yuan.

2.
Tā sānshí zuǒyòu.
他 三 十 左 右 。
He is about thirty years old.

Useful words and expressions

get up	qǐ chuáng 起 床		cell phone	shǒujī 手 机
alas	āi 唉		no battery electricity	méi diàn 没 电
sleep	shuì 睡		basketball	lánqiú 篮 球
go to work	shàng bān 上 班		athlete	yùndòngyuán 运 动 员
terrible	zāogāo 糟 糕		as tall as, as good as	hé … yíyàng gāo/hǎo 和 …… 一 样 高/好

Hainan (name of a province)	Hǎinán 海南	look forward to, earnestly wish for	bābude ... 巴不得……
go on holiday	dùjià 度假	how I want to ...	duō xiǎng / hǎo xiǎng ... 多想 / 好想……
girlfriend	nǚ péngyou 女朋友	a	啊
private car	sījiā chē 私家车	it could be better if...	yàoshi ... gāi 要是……该 duō hǎo a 多好啊
return to one's country	huí guó 回国		
do Taijiquan	dǎ tàijíquán 打太极拳		

Tasks

🙂 Complete the following short dialogues.

1. At home

A：Qī diǎn le, gāi qǐ chuáng le!
七点了，该起床了！

B：Ài, 唉，＿＿＿＿＿＿＿zài shuì yíhuìr a! 再睡一会儿啊！

A：Jīntiān shì Xīngqīyī, nǐ děi qù shàng bān. 今天是星期一，你得去上班。

B：Zhēn 真＿＿＿＿＿＿＿jīntiān shì zhōumò! 今天是周末！

2. On the journey

A：Zhēn zāogāo! 真糟糕！

B：＿＿＿＿＿＿＿＿？

A：Shǒujī yòu méi diàn le. 手机又没电了。

B：Bú yàojǐn, yòng wǒ de ba. 不要紧，用我的吧。

A：Xièxie, 谢谢，＿＿＿＿＿＿dài liǎng kuài diànchí 带两块电池＿＿＿＿＿＿。

🐍 Look and say.

Use words and expressions such as

zhēn xiǎng zài ...	hènbude	yàoshi ... jiù hǎo le
真 想 再 ……	恨 不 得	要 是 …… 就 好 了

xīwàng ... jí le
希 望 …… 极 了

🐍 What do you say?

1. You tell Wang Ning that you miss your parents very much, and want to go back home soon.

2. David does Taijiquan very well. You wish you could do as well as him.

3. You fancy an overcoat in a shop, but it is a bit too expensive for you. You wish it were a bit cheaper.

🐍 Listen and do the following exercises.

1. Answer the following questions.

   (at the gate of the apartment)

   (1) What does David want to get?

   (2) Where will David probably go to check his e-mail?

2. Decide whether the following sentences are true or false according to the dialogue (put a tick or a cross in the brackets).

   (dialogue between Amy and Wang Ning)

   (1) Amy's father is ill.   (   )

(2) Amy has returned to her home.　　　(　　)

(3) Amy doesn't want to go on the trip.　　(　　)

Reading.

Hǎinán shuāngfēi wǔ rì yōu
海南双飞五日游

Yī, xíngchéng ānpái:
一、行程安排：

Dì yī tiān: shíliù diǎn èrshí cóng Shànghǎi zuò fēijī dào Hǎikǒu,
第一天：16：20　从 上海坐飞机到海口，

wǎnshang kàn Hǎikǒu de yè jǐng
晚上 看海口的夜景

Dì èr tiān: cānguān zhíwùyuán, wǔfàn hòu qù Tiānyáhǎijiǎo
第二天：参观植物园，午饭后去天涯海角

Dì sān tiān: cānguān shǎoshù mínzú wénhuà cūn
第三天：参观 少数民族文化村

Dì sì tiān: cānguān Hǎiyáng Gōngyuán
第四天：参观 海洋公园

Dì wǔ tiān: bā diǎn sānshíwǔ zuò fēijī huí Shànghǎi
第五天：8：35　坐飞机回上海

Èr, jiàgé: yìqiān jiǔbǎi bāshí yuán / rén
二、价格：1980　元／人

Sān, zìfèi huódòng jiàgé:
三、自费活动价格：

kàn hǎitún biǎoyǎn yìbǎi wǔshí yuán / rén
看 海豚 表演　150 元／人

Notes:

xíngchéng ānpái
行程 安排 routing, scheduling

shǎoshù mínzú wénhuà cūn
少数民族文化村 the show of minority nationality's culture

Hǎikǒu
海口 Haikou (name of a city)

yè jǐng
夜景 night scene

zhíwùyuán
植物园 botanical garden

Hǎiyáng Gōngyuán
海洋 公园 ocean park

Tiānyáhǎijiǎo
天涯海角 the name of a scenic spot

jiàgé
价格 price

hǎitún biǎoyǎn
海豚表演 performance of dolphin

zìfèi huódòng
自费活动 activity at one's expense

Choose the correct answer to the questions according to the advertisement on the last page.

1. What are paid at one's own expense?

   a. watch the performance of the dolphin

   b. go to the ocean park

   c. appreciate night scenes

   d. visit the botanical garden

2. Where can visitors appreciate night scenes?

   a. the show of minority nationality's culture

   b. Haikou

   c. ocean park

   d. botanical garden

Cultural tips

Nowadays there are more and more streets with specialized shops in many Chinese cities. "Food Street" is a street with all kinds of restaurants. "Bar Street" refers to a street where there are many bars on the two sides of the street in the area. In an "Electronics Street", the shops all sell computers and digital products. Many banks are represented in "Banking Street". Streets like these are convenient for people. If you need something, you simply go to the appropriate street to find the things you want.

三里屯酒吧街
Sanlitun Bar Street

北京金融街
Beijing Financial Street

Character writing

jiǎo

jiǎo	jiǎo	jiǎo	jiǎo	jiǎo	jiǎo	jiǎo	jiǎo	jiǎo
饺	饺	饺	饺	饺	饺	饺	饺	饺

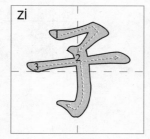

zi

zi	zi	zi	zi	zi	zi	zi	zi	zi
子	子	子	子	子	子	子	子	子

zū

zū	zū	zū	zū	zū	zū	zū	zū	zū
租	租	租	租	租	租	租	租	租

fáng

fáng	fáng	fáng	fáng	fáng	fáng	fáng	fáng	fáng
房	房	房	房	房	房	房	房	房

Of course, I'll go

- Express certainty and uncertainty

- Say   当然去了 dāngrán qù le
  说不定她那天有空 shuō bu dìng tā nà tiān yǒu kòng
  肯定会越来越好 kěndìng huì yuèláiyuè hǎo

New words and expressions

tīngshuō 听说	hear of/that		tī 踢	play, kick
Chéng Lóng 成龙	Jackie Chan		guànjūn 冠军	champion
wénhuà zhōngxīn 文化中心	culture centre		Bāxī 巴西	Brazil
yǎnchàng huì 演唱会	concert		dì yī chǎng 第一场	the first (match)
bù yídìng 不一定	uncertain		biǎoxiàn 表现	performance
shuō bu dìng 说不定	maybe		kěndìng 肯定	certainly
shìjiè bēi 世界杯	the World Cup		yuèláiyuè hǎo 越来越好	better and better
duì 队	team		xīwàng rúcǐ 希望如此	hope so
Āgēntíng 阿根廷	Argentina			

Dialogue

1 *Wang Ning (W) discusses with David (D) about going to a concert.*

Dàwèi, tīngshuō nǐ xǐhuan Chéng Lóng, shì ma?
W: 大卫，听说你喜欢成龙，是吗？

Shì a, tā de diànyǐng dōu búcuò, wǒ hěn xǐhuan tā.
D: 是啊，他的电影都不错，我很喜欢他。

Liù yuè èrshísì hào wénhuà zhōngxīn yǒu Chéng Lóng yǎnchànghuì, nǐ qù ma?
W: 6 月 24 号文化中心有成龙演唱会，你去吗？

Dāngrán qù le.
D: 当然去了。

Nà wǒmen yìqǐ qù ba!
W: 那我们一起去吧！

Hǎo! Wǒmen jiào Àimǐ yìqǐ qù, zěnmeyàng?
D: 好！我们叫艾米一起去，怎么样？

Hǎode, búguò tā zuìjìn tǐng máng de,
W: 好的，不过她最近挺忙的，
bù yídìng yǒu shíjiān.
不一定有时间。

Shuō bu dìng tā nà tiān yǒu kòng,
D: 说不定她那天有空，
kěyǐ hé wǒmen yìqǐ qù ne.
可以和我们一起去呢。

Nà jiù wènwen tā ba!
W: 那就问问她吧！

W: David, I heard that you like Jackie Chan, is that right?
D: Yes, all his movies are very good. I like him very much.
W: On June 24th there is a concert by him at the cultural centre. Will you go?
D: Of course, I'll go.
W: Then we'll go together.
D: OK, we can also ask Amy to come with us. What do you think?
W: That will be great, but nowadays she is quite busy. I am not sure if she is free or not.
D: She may be free and could come with us on that day.
W: Let's go and ask her.

2 *Wang Ning (W) discusses with David (D) about the World Cup matches.*

Hǎojiǔ bú jiàn le, zài máng
W: 好 久 不 见 了 ， 在 忙
shénme ne?
什 么 呢 ？

Méi máng shénme, jiùshì kànkan
D: 没 忙 什 么 ，就 是 看 看
shìjiè bēi.
世 界 杯 。

Shì ma? Wǒ měitiān wǎnshang
W: 是 吗 ？ 我 每 天 晚 上
dōu kàn. Nǐ xǐhuan nǎge duì?
都 看 。 你 喜 欢 哪 个 队 ？

Wǒ xǐhuan Āgēntíng Duì, tāmen tī de hěn hǎo,
D: 我 喜 欢 阿 根 廷 队 ， 他 们 踢 得 很 好 ，
wǒ xīwàng tāmen néng dé guànjūn. Nǐ ne?
我 希 望 他 们 能 得 冠 军 。你 呢 ？

Wǒ juéde Bāxī hěn yǒu kěnéng dé
W: 我 觉 得 巴 西 很 有 可 能 得
guànjūn.
冠 军 。

Dì yī chǎng tāmen de biǎoxiàn kě
D: 第 一 场 他 们 的 表 现 可
bú tài hǎo.
不 太 好 。

Méi guānxi, hái yǒu hǎo jǐ chǎng ne,
W: 没 关 系 ， 还 有 好 几 场 呢 ，
tāmen de biǎoxiàn kěndìng huì
他 们 的 表 现 肯 定 会
yuèláiyuè hǎo.
越 来 越 好 。

Xīwàng rúcǐ ba.
D: 希 望 如 此 吧 。

W: Long time no see. What are you busy with?
D: Nothing special, just watching the World Cup.
W: Really? I am also watching it every night. Which team is your favourite?
D: I like Argentina. They play very well. I hope they can become the Champion. What about you?
W: I think Brazil will most probably be the champion.
D: Their performance in the first match was not good.
W: It doesn't matter. There are more matches to go. Their performance will certainly get better.
D: Hope so.

Language notes

"Verb+得(de)+Adj." is used to describe an act, either regular or in progress. The adjective after "得" often indicates the degree or the state of the act. People use this structure to appraise or evaluate on how someone carries out a thing.

e.g.
1.
Tāmen tī de hěn hǎo.
他 们 踢 得 很 好 。
They played very well.

2.
Bèikè Hànyǔ shuō de hěn hǎo.
贝 克 汉 语 说 得 很 好 。
Baker speaks Chinese well.

"好(hǎo)" is usually used before "几(jǐ)", "多(duō)" to emphasize a large quantity.

e.g.
1.
Hái yǒu hǎo jǐ chǎng (bǐsài) ne.
还 有 好 几 场 （ 比 赛 ） 呢 。
There are still quite a few matches.

2.
Wǒ hái yǒu hǎo duō zuōyè.
我 还 有 好 多 作 业 。
I still have lots of homework.

"越来越……(yuèláiyuè...)" is an expression for "more and more".

e.g.
1.
Tāmen de biǎoxiàn kěndìng huì yuèláiyuè hǎo.
他 们 的 表 现 肯 定 会 越 来 越 好 。
Their performance will certainly get better.

2.
Nǐ yuèláiyuè piàoliang le.
你 越 来 越 漂 亮 了 。
You are becoming more and more beautiful.

Useful words and expressions

child	hǎizi 孩子	rise	qǐ 起
erhu (Chinese trad-itional instrument)	ěrhú 二胡	every time	měi cì 每次

order	diǎn 点	climb	pá 爬
Mocha	mōkǎ 摩卡	see with one's own eyes	qīnyǎn kànjiàn 亲眼看见
Christmas	Shēngdàn Jié 圣诞节	high-heeled shoe	gāogēnrxié 高跟儿鞋
opening ceremony	kāiyè diǎnlǐ 开业典礼	hundred-percent	bǎi fēn zhī bǎi 百分之百
rain	xià yǔ 下雨	absolutely be sure (not) to do something	kěndìng （bù） 肯定＋（不）＋ Verb.
umbrella	yǔsǎn 雨伞		
marry	qǔ 娶	certain	yídìng 一定
catch up with	gǎn de shàng 赶得上	maybe	kěnéng / yěxǔ 可能/也许
airplane	fēijī 飞机	do not know	bù zhīdào 不知道
divorce, get divorced	lí hūn 离婚	it is difficult to say	nánshuō 难说
beat, hit hard	dǎ 打	probably, may be	méizhǔnr / shuō bu zhǔn 没准儿/说不准

Tasks

Complete the following short dialogues.

1. At a friend's party

A: Bái Yún, xià ge xīngqī nǐ qù bu qù Běijīng?
白云，下个星期你去不去北京？

B: _____ qù le, zhè hái yòng wèn ma?
_____去了，这还用问吗？

Nǐ kěyǐ dài háizi yìqǐ qù.
A：你可以带孩子一起去。

Tā yào xué èrhú, yǒu shíjiān.
B：她要学二胡，＿＿＿＿＿＿＿有时间。

2. In a coffee shop

Wáng Níng zěnme hái bù lái a?
A：王宁怎么还不来啊？

shì qǐ wǎn le, tā měi cì dōu zhèyàng.
B：＿＿＿＿是起晚了，他每次都这样。

Wǒmen xiān tì tā diǎn ba, tā xǐhuan hē shénme?
A：我们先替他点吧，他喜欢喝什么？

Tā yào mókǎ, měi cì tā dōu diǎn zhège.
B：他＿＿＿＿＿要摩卡，每次他都点这个。

Shì ma? Nà jiù diǎn zhège ba.
A：是吗？那就点这个吧。

🐧 What do you say?

1. Your friend asks you if you are going back to your country during Christmas. You tell him you will certainly go back because you miss your home very much.
2. Your Chinese friend invites you to take part in his office opening ceremony, but you are not sure if you are free that day.
3. You think it is certainly going to rain today, so you tell your friend to take an umbrella with him if he is going out.

🐧 Create conversations according to the following situations.

1. David's friend is worried that David will be late for the plane, but he is sure he won't.
2. Bai Yun tells her friend Amy that Wang Ning has got a new girlfriend. Amy does not believe it, but Bai Yun says with certainty that she saw Wang Ning and his new girlfriend with her own eyes the other day.
3. After seeing her high-heeled shoes, all of Amy's friends say she will certainly not be able to climb the mountain, but Amy doesn't think so.

Listen and do the following exercises.

1. Complete the following dialogue according to the recording.

   (Amy is at a friend's home)

   　　　Àimǐ,　　nǐ xǐhuan chī kǎoyā ma?
   A：艾米，你喜欢吃烤鸭吗？

   　　　　　　　xǐhuan le.
   B：_____喜欢了。

   　　Wǒmen míngtiān yìqǐ qù chī ba.
   A：我们 明天一起去吃吧。

   　　Míngtiān a?　Míngtiān wǒ méi shíjiān.
   B：明天 啊？明天我没时间。

   　　Nà hòutiān ne?
   A：那后天呢？

   　　Hòutiān
   B：后天_____。

2. Answer the questions according to the dialogue.

   (David is chatting with his friend)

   (1) What are they planning to do tomorrow?
   (2) Why can't David go to the bar?

Reading.

dà de kěndìng hái méi shuì ne
大的肯定还没睡呢

Wǎnshang,　sān suì　　　　　　　　de Xiǎo Míng zài chuáng shang tǎng
晚上，三岁 (a measure word of age) 的 小明 在床 上躺 (lie)

le bàn ge xiǎoshí hái méi shuì zháo,　māma hái zài hǒng tā shuì jiào.
了半个小时还没睡着，妈妈还在哄他睡觉 (coax

　　　　　　　　　　　　　Zhè shí,　Xiǎo Míng shuō: "māma,　gěi wǒ yí ge píngguǒ
him to go to sleep)。这时，小明 说："妈妈，给我一个苹果

ba!"　Māma huídá:　　　　　"tài wǎn le,　píngguǒ yǐjīng shuì jiào
吧！"妈妈回答 (answer)："太晚了，苹果已经睡觉

le."　Kě Xiǎo Míng què shuō; "bú huì de,　xiǎo de yěxǔ yǐjīng shuì
了。"可小明却 (but)说："不会的，小的也许已经睡

le,　dànshì dà de kěndìng hái méi shuì ne!"
了，但是大的肯定还没睡呢！"

Answer the question according to the short passage.

Why does Xiao Ming say "Perhaps the small apple is already asleep, but the big one is certainly still awake"?

Cultural tips

成龙
Jackie Chan

李小龙
Bruce Lee

Chinese Kongfu movies started in the early 1920s. The 1960s was the most magnificent and flourishing period of Chinese Kongfu movies. After the 1970s, Chinese Kongfu movies entered the era of Li Xiaolong (Bruce Lee). For the first time Li Xiaolong's movies entered the international film market, which increased the popularity of Chinese Kongfu movies in the world. From the 1980s onwards, many new Kongfu movies suddenly appeared over the horizon. During this period, many new Kongfu movie stars rose, such as: Cheng Long (Jackie Chan) and Li Lianjie (Jet Lee). Their emergence marked a new path in the field of Kongfu movies.

李连杰
Jet Lee

Character writing

wén	wén	wén	wén	wén	wén	wén	wén	wén
文	文	文	文	文	文	文	文	文

huà	huà	huà	huà	huà	huà	huà	huà	huà
化	化	化	化	化	化	化	化	化

zhōng	zhōng	zhōng	zhōng	zhōng	zhōng	zhōng	zhōng	zhōng
中	中	中	中	中	中	中	中	中

xīn	xīn	xīn	xīn	xīn	xīn	xīn	xīn	xīn
心	心	心	心	心	心	心	心	心

Chapter 12

We have IC cards and IP cards

Learn to

- Give examples and put things in a sequential order

- Say 有……，(有)……，还有……   yǒu…, (yǒu) …, hái yǒu…
  (像)……什么的   (xiāng)… shénme de
  一是……，二是……   yī shì …, èr shì …

New words and expressions

kǎ 卡	card	(xiāng) … shénme de (像)……什么的	such as
guówài 国外	abroad	duì … méiyǒu xìngqù 对……没有兴趣	have no interest in
yìxiē 一些	some	zhèxiē 这些	these
IC kǎ IC 卡	IC card	xiě zì 写字	write characters
IP kǎ IP 卡	IP card	huà huàr 画画儿	paint, draw a picture
shàng kè 上课	attend class	yī shì …, èr shì … 一是……，二是……	firstly…, secondly…
shūfǎ 书法	calligraphy	yǒu yìsi 有意思	interesting
méi xiǎng dào 没想到	unexpected	liǎojiě 了解	understand
Zhōngguóhuà 中国画	Chinese painting	wénhuà 文化	culture

Dialogue

1 *Amy (A) talks to the shop assistant (S) in a telephone shop.*

Nǐ hǎo, wǒ xiǎng mǎi yì zhāng diànhuà kǎ.
A: 你好， 我 想 买一张 电话卡。

Nǐ yào nǎ zhǒng?
S: 你要哪 种 ？

Wǒ wǎng guówài dǎ, nǎ zhǒng piányi xiē?
A: 我 往 国外打，哪种 便宜些？

Néng dǎ guówài de yǒu IC kǎ, hái yǒu IP kǎ, dōu hěn piányi.
S: 能 打国外的有 IC 卡，还有 IP卡，都很便宜。

Búguò, mǎi IP kǎ de rén duō yìxiē.
不过， 买IP卡的人多一些。

Nà wǒ jiù mǎi yì zhāng IP kǎ ba.
A: 那我就买 一 张 IP卡吧。

Nǐ yào duōshao qián de?
S: 你要 多少 钱的？

Yǒu duōshao qián de?
A: 有 多少 钱的？

Yǒu sānshí de, wǔshí de, hái yǒu yìbǎi de.
S: 有30 的，50 的，还有100的。

Xiān mǎi yì zhāng sānshí de ba.
A: 先 买一张 30 的吧。

A: Hello, I want to buy a telephone card.
S: Which one?
A: I need to make international calls. Which one is cheaper?
S: We have IC cards and IP cards, and both of them are very cheap, but more people prefer to use IP cards.
A: Then I'll buy an IP card.
S: How many credits do you want for the card?
A: What kinds are available?
S: We have cards worth 30, 50 and 100 Yuan.
A: Then I'll buy a 30 Yuan card to start.

② *Wang Ning (W) and Amy (A) happen to meet David (D) on the road.*

　　Dàwèi,　　qù nǎr?
A: 大卫，去哪儿？

　　Shàng shūfǎ　kè qù.
D: 上　书法课去。

　　　Nǐ xǐhuan shūfǎ?　Zhēn méi xiǎng dào.
W: 你喜欢书法？真没想到。

　　Shì a,　　　shūfǎ,　　Zhōngguóhuà
D: 是啊，书法、中国画

　　shénme de,　wǒ dōu hěn xǐhuan.
什么的，我都很喜欢。

　　Wǒ duì zhèxiē kě méiyǒu xìngqù.
A: 我对这些可没有兴趣。

　　Wǒ juéde xiě zì,　　huà huàr　yī shì
D: 我觉得写字、画画儿一是

　　hěn yǒu　yìsi,　　ěr shì　kěyǐ bāngzhù
很有意思，二是可以帮助

　　wǒ liǎojiě Zhōngguó wénhuà.
我了解中国文化。

　　Shì ma?　Nà yǒu kòng wǒ yě　xiěxie,
A: 是吗？那有空我也写写，

　　huàhua.
画画。

　　Hǎo a,　xià cì wǒmen yìqǐ　qù ba.
D: 好啊，下次我们一起去吧。

A: David, where are you going?
D: I'm going to attend a calligraphy class.
W: You like calligraphy? I can't imagine that.
D: Yeah, I'm interested in both calligraphy and Chinese painting.
A: I'm not interested in these things.
D: I think character writing and painting, firstly, is very interesting, and secondly, will help understand Chinese culture.
A: Really? Then I must learn to write and paint too when I have time.
D: OK, then next time we can go together.

Language notes

"的(de)" can be used after numbers or adjectives such as: "30的(sānshí de)", "有白的(yǒu bái de)", to form a "的" structure. The actual noun after "的" is omitted when the things are known by both parties in the conversation or the things have been mentioned before.

Yǒu sānshí de, wǔshí de, hái yǒu yìbǎi de.

e.g. 1. 有 3 0 的 , 5 0 的 , 还 有 1 0 0 的 。
We have those (cards) worth 30, 50 and 100 Yuan.

Zhè zhǒng chènshān yǒu bái de, hēi de, hái yǒu hóng de.

2. 这 种 衬 衫 有 白 的 , 黑 的 , 还 有 红 的 。
We have this type of shirts in white, black and red.

"什么的(shénme de)" is used after one or several things as examples in a sentence to indicate that the list could be longer. It is usually placed at the end of the listed examples.

Shūfǎ, Zhōngguóhuà shénme de, wǒ dōu hěn xǐhuan.

e.g. 1. 书 法 、 中 国 画 什 么 的 , 我 都 很 喜 欢 。
Calligraphy, Chinese paintings and so on, I like them all.

Píngguǒ, xiāngjiāo shénme de, wǒ dōu xǐhuan chī.

2. 苹 果 、 香 蕉 什 么 的 , 我 都 喜 欢 吃 。
Apples, bananas and so on, I like to eat them all.

Useful words and expressions

longan	lóngyǎn 龙眼		go to work	shàng bān 上 班	
litchi	lìzhī 荔枝		tired	lèi 累	
Hami melon	hāmìguā 哈密瓜		advantage	hǎochu 好处	
everyday	měi tiān 每天		body, health	shēntǐ 身体	
cycle	qí chē 骑车		environmental protection	huánbǎo 环保	

city	chéngshì 城市	Coo-Lao pork (a Chinese dish)	gūlǎoròu 咕咾肉
hobby	àihào 爱好	fish-flavored shredded pork in hot sauce (a Chinese dish)	yúxiāng ròusī 鱼香肉丝
listen to music	tīng yīnyuè 听音乐	near	jìn 近
quality	zhìliàng 质量	convenient	fāngbiàn 方便
Mother's Day	Mǔqīn Jié 母亲节	for example	bǐrú 比如
fresh flowers	xiānhuā 鲜花	etc, and so on	... děngděng ……等等
carnation	kāngnǎixīn 康乃馨	such as	lìrú 例如
lily	bǎihé 百合	1st..., 2nd ...	dì yī..., dì èr... 第一……，第二……
Mapo bean curd (a Chinese dish)	mápó dòufu 麻婆豆腐	1st ..., 2nd ...	yī lái..., èr lái... 一来……，二来……

Tasks

Complete the following short dialogues.

1. At a grocery shop

A: Nǐ hǎo,
你好，_____？

B: Wǒ xiǎng mǎi diǎnr shuǐguǒ sòng rén, bù zhīdào mǎi shénme hǎo?
我想买点儿水果送人，不知道买什么好？

A: lóngyǎn, lìzhī, hāmìguā,
_____龙眼、荔枝、哈密瓜_____，

zhèxiē dōu xíng.
这些都行。

B: Hǎo, nà wǒ jiù mǎi diǎnr hāmìguā hé lìzhī ba!
好，那我就买点儿哈密瓜和荔枝吧！

2. In the street

Nǐ měi tiān dōu shì qí chē shàng bān ma?
A：你 每 天 都 是 骑 车 上 班 吗？

Shì a.
B：是 啊 。

Nǐ bù juéde lèi ma?
A：你 不 觉 得 累 吗？

Qí zìxíngchē de hǎochu hěn duō,   kěyǐ duànliàn shēntǐ,
B：骑 自 行 车 的 好 处 很 多 ，＿＿＿＿＿ 可 以 锻 炼 身 体 ，

hěn huánbǎo!
＿＿＿＿＿ 很 环 保！

What do you say?

1. Tell your friend which cities you have been to in China this year.

2. Discuss your hobbies with your friend. Tell him that you have many hobbies like watching movies, listening to music and so on.

3. Your friend invites you to go for a tour, but you cannot make it. You give him a list of reasons, for example, you are busy with your work, you are not so well these days etc.

4. Tell your friend that the cell phone you have is good for high quality and a cheap price.

Create conversations according to the following situations.

1. Mother's Day is coming soon. Baker decides to buy flowers for his mother. The girl in the flower shop recommended some suitable flowers.

2. Baker invites his friend to a meal in a restaurant. Before placing an order, he looks at the menu. So many dishes on it, he has no idea what to order. At that time a waiter comes over and helps him.

3. Amy's friend does not understand why she wants to buy a particular apartment. Amy explains to him that the apartment is near her work place and also it is very convenient for shopping.

Listen and do the following exercises.

1. Choose the correct answer to the questions.

(in a store)

(1) Which colour is not mentioned in the conversation?

lánsè
a. 蓝色

hēisè
b. 黑色

hóngsè
c. 红色

báisè
d. 白色

(2) What best describes the white shirt?

yǒudiǎnr xiǎo
a. 有点儿小

yǒudiǎnr dà
b. 有点儿大

hěn hǎokàn
c. 很好看

bù hǎokàn
d. 不好看

(3) Which shirt did she buy finally?

hēi de
a. 黑的

lǜ de
b. 绿的

hóng de
c. 红的

bái de
d. 白的

2. Answer the following questions.

(Amy is at a friend's home)

(1) What are they discussing?

(2) Why does Amy like to drink tea?

☃ Reading.

IP kǎ shōufèi biāozhǔn
IP 卡收费(charge) 标准(standard)

guójiā huò dìqū 国家(country) 或 地区(area)	guójiā huò dìqū 国家或地区 dàimǎ 代码(code)	IP kǎ shōufèi biāozhǔn IP 卡 收费 标准 dānwèi 单位(unit): 元(yuan)/ 分钟(minute)
Xiānggǎng 香港(Hong Kong)	bā wǔ èr 852	yí kuài wǔ 1.5
Táiwān 台湾(Taiwan)	bā bā liù 886	yí kuài wǔ 1.5
Yīngguó 英国	sì sì 44	sān kuài liù 3.6

Fǎguó 法 国 (France)	sān sān 33	sān kuài liù 3.6
Rìběn 日 本 (Japan)	bā yāo 81	sān kuài liù 3.6
Xīnjiāpō 新 加 坡 (Singapore)	liù wǔ 65	sān kuài liù 3.6
Àodàlìyà 澳 大 利 亚 (Australia)	liù yāo 61	sān kuài liù 3.6
Jiānádà /Měiguó 加 拿 大 (Canada)/美 国	yāo 1	liǎng kuài sì 2.4

NOTE: time less than 1 minute is considered as 1 minute.

Answer the questions according to the passage.

1. How much does it cost to make a 4.5-minute call to France by IP card?
2. To which part of the world is it the cheapest to make a call by IP card?

Cultural tips

Commonly used telephone cards in China are IC, IP cards and so on. IP cards are the most widely used. Large telecommunication companies in China like China Telecom, China Unicom, China Mobile, China Tietong all issue IP cards. The special features of IP cards include: a low price and they are easy to buy and use.

Character writing

diǎn	diǎn	diǎn	diǎn	diǎn	diǎn	diǎn	diǎn	diǎn
电	电	电	电	电	电	电	电	电

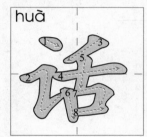

huà	huà	huà	huà	huà	huà	huà	huà	huà
话	话	话	话	话	话	话	话	话

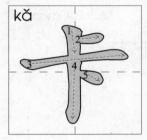

kǎ	kǎ	kǎ	kǎ	kǎ	kǎ	kǎ	kǎ	kǎ
卡	卡	卡	卡	卡	卡	卡	卡	卡

Revision 1

I. How would you respond in the following situations?

1.
     Dàwèi,   zuìjìn gōngzuò máng ma?
A: 大卫，最近工作 忙 吗？

                 nǐ ne?
B: _____，你呢？

A: _____。

2.
     Xiǎo Wáng, wǒmen mǎi zhège kāfēihú
A: 小 王，我们 买这个咖啡壶 _____?
     Bú tài hǎokàn, huàn bié de ba.
B: 不太 好看，换 别的吧。
     Nà   wǒmen mǎi shénme hǎo ne?
A: 那_____我们 买 什么 好呢？
     Mǎi nà tào chájù ba.
B: 买 那套 茶具吧。

3.
     Gāngcái chī fàn de shíhou, wǒ   qiánbāo   zuòwèi shang le.
A: 刚才 吃饭的时候，我 _____钱包 _____座位 上了。
     Nín zuò zài nǎr?
B: 您 坐在哪儿？
     Chuānghu   de zuòwèi.
A: 窗户_____的座位。
     Wǒ bāng nín kànkan.
B: 我 帮 您看看。

4.
     Nǐ de jūliú xǔkě bàn hǎo le ma?
A: 你的居留许可办 好了吗？
     Hái méi ne.
B: 还没呢。
     Shì dào pàichūsuǒ bàn ma?
A: 是 到 派出所办 吗？
     Bú shì,   qù gōng'ānjú.
B: 不是，_____去公安局。

5.
     Nǐ kàn zhōumò qù nǎr hǎo ne?
A: 你看 周末去哪儿好呢？
     Qù měishí jiē ba.
B: 去美食街吧。
     Nǎr yǒu shénme hǎochī de?
A: 那儿有 什么 好吃的？

Suānlàtāng de wèidào hǎo　　　wǒ　　　qù chī yí cì.
B: 酸 辣 汤 的 味 道 好 _____，我 _____ 去 吃 一 次。

6.　Xià ge xīngqī nǐ zhǔnbèi zuò shénme?
A: 下 个 星 期 你 准 备 做 什 么？
　　Hái bù zhīdào ne.
B: 还 不 知 道 呢。
　　Nà xià ge xīngqī de lǚxíng nǐ qù ma?
A: 那 下 个 星 期 的 旅 行 你 去 吗？
　　Wǒ zhème xǐhuan lǚxíng,　　　qù le!
B: 我 这 么 喜 欢 旅 行，_____ 去 了！

II. What do you say?

7. Remind Wang Ning that you're going to meet him in the coffee shop at 3 p.m. tomorrow.

8. You are going on a business trip with your colleague by train, and agreed to meet at the station. The train is now about to depart, but your colleague hasn't arrived.

9. Bai Yun asks you why you study Chinese.

10. You have been in China for more than a year, and you miss your mother's cooking.

11. Your friends ask you why you go to your office on foot everyday, and you tell them some of the advantages of taking a walk.

III. Make a short conversation according to the situations below.

12. Your colleague was injured at work and is now in hospital. You have come to see her/him and show your care and support.

13. A salesperson at the telecommunications company has been rude to you. You make a complaint about it to the company manager.

14. You ask Xiao Zhang if you can swap your shift on duty with her/him.

15. Your friend asks you about your hobbies, and you tell him what they are and why you have chosen them.

IV. Look and say.

16. Look at the picture and say.

17. Answer the question according to the picture.

A stranger asks you how to go to McDonald's from the restaurant. How would answer him/her?

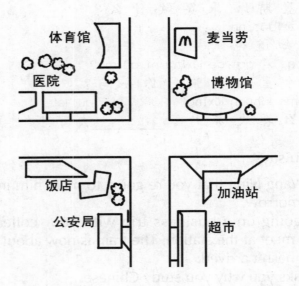

体育馆

麦当劳

医院

博物馆

饭店

加油站

公安局

超市

18. Look at the following signs and say.

Use words and expressions such as

qǐng bǎ...	fàng zài...	xiǎoxīn	màndiǎnr	jìnzhǐ	bù néng
请 把……	放 在……	小心	慢点儿	禁止	不 能

1

2   无人售票

小心路滑

3

4

V. Use different ways to describe the situations below.

19. Use at least two ways to ask someone how they spend their weekends.
20. When your friend is smoking in the museum, what would you say to her/him?
21. You find a book in a bookshop, but you don't have enough money to pay for it. You ask the shop assistant if you can have it at a lower price.
22. You want to visit the museum, but don't know how to get there. You ask your Chinese friend for help.

Chapter 13

I can't believe your Chinese is so good now

Learn to

- Express your feeling of surprise and strangeness

- Say 没想到 méi xiǎng dào
  从来没听说过 cónglái méi tīngshuō guo
  觉得很奇怪 juéde hěn qíguài

New words and expressions

jìnbù 进步	improve, progress		hǎoxiàng 好像	seem, look like
jiājiāo 家教	tutor		bǐ 比	than
búyòng 不用	no need		guì yí bèi 贵一倍	twice as much as
fǔdǎo 辅导	help sb. to study		cónglái méi 从来没	never
jiānchí xiàqu 坚持下去	keep/continue doing something		qíguài 奇怪	strange
kāishǐ 开始	begin		rúguǒ 如果	if
shòu ... yǐngxiǎng 受……影响	be influenced by		zīxún 咨询	inquire, consult
wàiguó rén 外国人	foreigner			

Dialogue

1 *Amy (A) and Bai Yun (B) are in Starbucks.*

Yí ge yuè bú jiàn, méi xiǎng dào nǐ Hànyǔ jìnbù de zhème kuài!
B: 一个月不见，没想到你汉语进步得这么快！

Xièxie nǐ gěi wǒ jièshào zhème hǎo de jiājiào.
A: 谢谢你给我介绍这么好的家教。

Búyòng kèqi. Xiànzài měi ge xīngqī fǔdǎo jǐ cì?
B: 不用客气。现在每个星期辅导几次？

Xīngqīyī dào Xīngqīwǔ, měi tiān yí ge xiǎoshí.
A: 星期一到星期五，每天一个小时。

Yídìng yào jiānchí xiàqu.
B: 一定要坚持下去。

Ǹg, duì le, wǒ xiānsheng yě kāishǐ
A: 嗯，对了，我先生 也开始

xué Hànyǔ le!
学汉语了！

Zhēn de ma? Tā bú shì shuō bù dǎsuàn
B: 真的吗？他不是说不打算

xué ma?
学吗？

Kěnéng shì shòu wǒ de yǐngxiǎng ba.
A: 可能是受我的影响吧。

B: I haven't seen you for a month. I can't believe your Chinese is so good now.

A: Thank you very much! It is because of your recommendation of that excellent tutor.

B: You are welcome. Now, how many times do you meet your tutor per week?

A: From Monday to Friday, one hour per day.

B: You must keep on doing this.

A: My husband has started learning Chinese, too.

B: Really? Didn't he say he had no desire to learn Chinese?

A: Maybe as a result of my influence.

② *David (D) is asking Wang Ning (W) about purchasing houses in China.*

Tīngshuō wàiguó rén yě kěyǐ zài Zhōngguó mǎi fángzi.
D: 听说 外国 人也可以在中国 买房子。

Hǎoxiàng kěyǐ.
W: 好像 可以。

Wǒ hái tīngshuō, wàiguórén mǎi fángzi
D: 我还听说，外国人买房子

bǐ Zhōngguórén guì yí bèi.
比中国人 贵一倍。

Zhè wǒ cónglái méi tīngshuō guo.
W: 这我从来没 听说 过。

Yīnggāi bú huì.
应该 不会。

Wǒ yě juéde hěn qíguài.
D: 我也觉得很奇怪。

Shì nǐ xiǎng mǎi fángzi ma?
W: 是你想 买房子吗？

Bú shì, shì bāng wǒ péngyou wèn de.
D: 不是，是帮 我朋友 问的。

Rúguǒ nǐ de péngyou xūyào, wǒ
W: 如果你的朋友 需要，我

kěyǐ bāng tā zīxún yíxià.
可以帮他咨询一下。

Tài gǎnxiè le!
D: 太感谢了！

D: I have heard that foreigners can buy houses in China.
W: It seems they can.
D: I've also heard that foreigners pay twice as much as Chinese people for the same house.
W: I have never heard about that. I don't think it is true.
D: It sounded strange to me.
W: Are you going to buy a house?
D: No, I'm just asking for some information for my friend.
W: If your friend needs help, I can get some information for him.
D: Thank you very much!

Language notes

"Verb＋下去(xiàqu)" indicates something that what someone is doing will continue.

Yídìng yào jiānchí xiàqu.
e.g. 1. 一 定 要 坚 持 下 去 。
You must keep on doing this.

Tā hái yào zài zhèr zhù xiàqu.
2. 他 还 要 在 这 儿 住 下 去 。
He will still live here.

"A＋比(bǐ)＋B＋Adj.＋Numeral-measure Word" is used to indicate specific differences between two things or people in comparison.

Wàiguórén mǎi fángzi bǐ Zhōngguórén guì yí bèi.
e.g. 1. 外 国 人 买 房 子 比 中 国 人 贵 一 倍 。
Foreigners pay twice as much as Chinese people for the same house.

Bàba bǐ māma dà liǎng suì.
2. 爸 爸 比 妈 妈 大 两 岁 。
My father is two years older than my mother.

Dàwèi bǐ Wáng Níng gāo wǔ límǐ.
3. 大 卫 比 王 宁 高 五 厘 米 。
David is five centimetres taller than Wang Ning.

Useful words and expressions

oh, whoops	yō 哟		trousers	kùzi 裤子
tea stain	chá zì 茶渍		buttocks	pìgu 屁股
clean up	xǐ diào le 洗掉了		the Chinese New Year's Eve	chúxī 除夕
ride bicycle	qí zìxíngchē 骑自行车		one-year ticket/card	nián kǎ 年卡
National Day	Guóqìng Jié 国庆节		swim	yóu yǒng 游泳

can't believe what one sees/ hears	bù gǎn xiāngxìn 不 敢 相 信 zìjǐ de yǎnjing /ěrduo 自 己 的 眼 睛/耳 朵	haven't thought of	xiǎng bù dào 想 不 到
		well, why	yí 咦
cannot understand	bù míngbai 不 明 白	how, how come	zěnme / zěnme huì 怎 么/怎 么 会
surprised	chī jīng 吃 惊	what's the matter	zěnme huí shì 怎 么 回 事
have never seen/heard of	cónglái méi jiànguo/tīngguo 从 来 没 见 过/听 过	really can't believe	zhēn bù gǎn xiāngxìn 真 不 敢 相 信
unexpectedly	hěn yìwài 很 意 外	really can't understand	zhēn bù míngbai 真 不 明 白

Tasks

❀ **Complete the following short dialogues.**

1. In a laundry

                                                  Shīfu,   qiántiān sòng lai de

A：(holding the receipt in her hand)师 傅 ， 前 天 送 来 的

     yīfu   xǐ hǎo le ma?
     衣 服 洗 好 了 吗？

     Wǒ kànkan …   xǐ hǎo le.   zěnmeyàng?

B：我 看 看……洗 好 了 。 _____ 怎 么 样？

                  Yō,   chá zì   xǐ diào le!

A：(checking) 哟 ， 茶 渍 _____ 洗 掉 了！

     Xièxie!
     谢 谢！

     Búyòng xiè.   Huānyíng zài lái.

B：不 用 谢 。 欢 迎 再 来 。

2. Paying money in a food market

     Yí,   wǒ de qiánbāo bú jiàn le?

A：咦 ， 我 的 钱 包 不 见 了？

                    Gāngcái wǒ hái kànjiàn zài nǐ shǒu shang ne!

B：_____？ 刚 才 我 还 看 见 在 你 手 上 呢！

A: 是 啊! 太 ＿＿＿＿＿ 了!
Shì a!　Tài　　　　le!

B: 看看地上 有没有?
Kànkan dì shang yǒu méiyǒu?

A: 哟, 真的在地上。
Yō,　zhēn de zài dì shang.

☺ Look and say.

> **Use words and expressions such as**
>
> méi xiǎng dào　　qí guài　　cónglái méi jiànguo　　bù gǎn xiāngxìn
> 没 想 到　　　　奇 怪　　从 来 没 见 过　　　不 敢 相 信

☺ Create conversations according to the following situations.

1. Miss Zhang tells her English colleague Amy about her Chinese Spring Festival story. Zhang is the only daughter in her family. On the eve of the Spring Festival, she has to have lunch with her parents, and then have dinner with her parents-in-law. Amy does not understand why Zhang has to see parents on both sides on the same day.

2. David bought a one-year ticket for swimming in the health club, but he was told that he couldn't use it in July and August. David was confused. The assistant explained that it was the busy season during that period.

3. Amy noticed that there were a large number of people standing in a queue to buy eggs in a big supermarket, which surprised her. The next day, her Chinese friend told her that it was due to the cut-price of the eggs.

Listen and do the following exercises.

1. Answer the following questions.

    (in a taxi)

    (1) Where is the passenger going to be?
    (2) Why did the passenger think the driver was driving in the wrong direction?

2. Complete the following dialogue.

    (David is chatting with his colleague)

Tīngshuō xiànzài mǎi fángzi bǐ yǐqián piányi le.
A：听说 现在 买房子 比以前 便宜 了。

ma? Wǒ méi   guo.
B：＿＿＿＿ 吗？我没 ＿＿＿＿ 过。

Wǒ gāng tīngshuō shí yě juéde
A：我 刚 听说 时也 觉得 ＿＿＿＿＿。

Nǐ xiǎng zài Zhōngguó mǎi fángzi?
B：你想 在中国 买房子？

Bú shì,   zhǐshì wènwen.
A：不是，只是 问问。

Reading.

qítè   de dōngchóngxiàcǎo
奇特 (peculiar) 的 冬虫夏草 (aweto)

Dōngchóngxiàcǎo shēngzhǎng   zài   hǎibá   sān qiān mǐ yǐshàng de
冬虫夏草 生长 (grow)在 海拔 (elevation)3000米以上的

gāoyuán   shang,   fēnbù   zài Zhōngguó de Xīzàng, Sìchuān,
高原 (plateau)上，分布 (be distributed)在 中国 的 西藏、四川

Yúnnán,   Qīnghǎi   děng dìfang. Tā
(name of a province)、云南、青海 (name of a province)等 地方。它

dōngtiān zài dì xià shì yì tiáo chóng,   xiàtiān zài chóng de tóu shang yòu zhǎng
冬天在地下是一条虫 (worm)，夏天在虫的头上又长

chū xiǎo cǎo.
出小草 (grass)。

Dōngchóngxiàcǎo shì fēicháng mínɡguì   de zhōngyào.
冬虫夏草是非常 名贵 (rare)的 中药 (Chinese traditional

            Tā kàn qǐlai   yíbàn shì chóng, yíbàn shì cǎo. Tā
medicine)。它看起来 (look like)一半是虫，一半是草。它

shì chóng, yě shì cǎo; dāngrán yě kěyǐ shuō tā bú shì chóng, yě bú shì cǎo.
是虫，也是草；当然也可以说它不是虫，也不是草。

Decide whether the following sentences are correct or incorrect according to the passage.

1. Aweto is growing at a high altitude. (   )
2. Aweto is a great work done by plant and animal together.(   )

Cultural tips

Since 1999, a Huangjinzhou golden week) holiday system has been set up in China. During the Spring Festival, Labour Day and National Day, Chinese people have a one-week holiday. Many people spend the holiday travelling and shopping. That's why it is called "golden week". However, because too many people travel during this week, bus tickets, train tickets, and flight tickets are often sold out. Therefore, if you would like to take a trip during golden week, you had better arrange your tickets in advance.

Character writing

jiā	jiā	jiā	jiā	jiā	jiā	jiā	jiā	jiā
家	家	家	家	家	家	家	家	家

jiāo	jiāo	jiāo	jiāo	jiāo	jiāo	jiāo	jiāo	jiāo
教	教	教	教	教	教	教	教	教

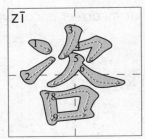

zī	zī	zī	zī	zī	zī	zī	zī	zī
咨	咨	咨	咨	咨	咨	咨	咨	咨

xún	xún	xún	xún	xún	xún	xún	xún	xún
询	询	询	询	询	询	询	询	询

Chapter 14

Don't worry

Learn to 🎧

○ Express your worry, and comfort someone who worries

○ Say 怎么办呢 zěnme bàn ne
别着急 bié zháojí
别担心 bié dānxīn
不会有问题的 bú huì yǒu wèntí de

New words and expressions

jiè 借	hire	jiè guāng le 借光了	rent out
fúzhuāng 服装	garment, costume	zěnme bàn 怎么办	what can we do
nǚ'ér 女儿	daughter	péi 陪	accompany
cānjiā 参加	take part in	zhuānjiā ménzhěn 专家门诊	special out-patient department
Shèngdàn 圣诞	Christmas	yīshēng 医生	doctor
wǎnhuì 晚会	evening party	jiǎnchá 检查	examination
yīfu 衣服	clothes	jiéguǒ 结果	result
yǎn 演	perform, act	zhèngzài 正在	in the process of
Báixuě Gōngzhǔ 白雪公主	Snow White Princess	shēntǐ 身体	body, health
yō 哟	oh, whoops		

Dialogue

1 *Laura (L) is talking with a shop assistant (A) in a shop for hiring clothes.*

Qǐngwèn, zhèlǐ kěyǐ jiè fúzhuāng ma?
L: 请问，这里可以借服装吗？

Kěyǐ.
A: 可以。

Wǒ nǚ'ér míngtiān yào cānjiā Shèngdàn wǎnhuì, xiǎng jiè tào yīfu.
L: 我女儿明天要参加圣诞晚会，想借套衣服。

Shénme yīfu?
A: 什么衣服？

Tā yǎn Báixuě Gōngzhǔ.
L: 她演白雪公主。

Yō, héshì de hǎoxiàng dōu jiè guāng le, zhè liǎng tiān jiè yīfu
A: 哟，合适的好像都借光了，这两天借衣服

de rén tèbié duō.
的人特别多。

Nà zěnme bàn ne?
L: 那怎么办呢？

Bié zháojí, wǒ zài chácha kàn.
A: 别着急，我再查查看。

Qǐng shāo děng.
请稍等。

L: Excuse me, can I hire a costume here?
A: Yes.
L: My daughter is going to a fancy dress Christmas party tomorrow. She needs a costume.
A: What kind of costume does she need?
L: She wants to dress as Snow White.
A: Oh dear, it seems that the costume you need has been hired out! So many people want to hire clothes these days.
L: Well, what can we do now?
A: Don't worry! Let me check again. Please wait for a moment.

② *Amy (A) meets with her colleague Mrs. Zhao (Z) in the hospital.*

Àimǐ!
Z: 艾米！

Nǐ zěnme yě zài zhèlǐ?
A: 你 怎么 也 在 这里？

Wǒ xiānsheng zuìjìn yìzhí tóu téng,
Z: 我 先生 最近 一直 头疼，

suǒyǐ péi tā lái kàn yíxià zhuānjiā
所以 陪 他 来 看 一下 专家

ménzhěn.
门诊。

Yīshēng zěnme shuō?
A: 医生 怎么 说？

Yīshēng ràng tā zuò le yí ge jiǎnchá.
Z: 医生 让 他 做了 一个 检查。

Jiéguǒ chūlai le ma?
A: 结果 出来 了 吗？

Hái méiyǒu. Wǒmen zhèngzài děng ne.
Z: 还 没有。我们 正在 等 呢。

Bié dānxīn, nǐ xiānsheng shēntǐ yìzhí
A: 别 担心，你 先生 身体 一直

hěn hǎo, bú huì yǒu wèntí de.
很 好，不会 有 问题 的。

Xīwàng rúcǐ.
Z: 希望 如此。

Z: Amy!
A: Why are you here?
Z: My husband has a headache these days, so I came here with him to see a specialist.
A: What did the doctor say?
Z: The doctor asked him to take an examination.
A: Have you got the result?
Z: Not yet. We are waiting for it.
A: Don't worry! Your husband is always in good health. I don't think there is a problem.
Z: I hope so.

Language notes

"Verb+光(guāng)" is used to indicate "nothing left".

> (Yīfu) hǎoxiāng dōu jiè guāng le.

e.g. 1. (衣服) 好像都借光了。
It seems that the costume you need has been hired out.

> Píjiǔ dōu hē guāng le.

2. 啤酒都喝光了。
The beer is all finished.

"正在(zhēngzǎi)+Verb" indicates an act in progress. The particle "呢(ne)" is often added at the end of a sentence with "正在+Verb".

> Wǒmen zhēngzǎi děng ne.

e.g. 1. 我们正在等呢。
We are waiting right now.

> Tā zhēngzǎi chī fàn.

2. 他正在吃饭。
He is having his lunch.

Useful words and expressions

tone	shēngdiào 声调	beef	niúrōu 牛肉
kiss	wěn 吻	be in hospital	zhù yuàn 住院
handsome	shuài 帅	interview	miànshì 面试
in case	wànyī 万一	give birth	shēng háizi 生孩子
parents	fùmǔ 父母	get lost	mí lù 迷路
satisfy, satisfied	mǎnyì 满意	insomnia	shī mián 失眠

	bié nánguò/shāng xīn		huì hǎo qǐlai de
don't be sad	别难过 / 伤心	it will be all right	会好起来的
don't be angry	bié shēngqì 别生气	there must be a way	huì yǒu bànfǎ de 会有办法的
it will be fine	bú huì yǒu wèntí de 不会有问题的	take your time	mànmān lái 慢慢来
worrying	zhēn jí rén 真急人	all will be well in time	mànmān jiù hǎo le 慢慢就好了
take it easy	bié jǐnzhāng 别紧张	it doesn't matter	méi guānxi de 没关系的
be relaxed, be calm	fàng xīn ba 放心吧	no problem	méi wèntí de 没问题的

Tasks

😀 Complete the following short dialogues.

1. In a friend's house

Hànyǔ de shēngdiào tài nán le.
A：汉语的声调 太难了。＿＿＿＿＿呢？

mànmān jiù hǎo le.
B：＿＿＿＿＿，慢慢就好了。

Wǒ lái Zhōngguó yǐjīng liǎng ge yuè le!
A：我来中国已经两个月了！

Bèikè zài Zhōngguó liǎng nián le，"wǒ wèn nǐ" hái shuō chéng "wǒ wěn nǐ" ne!
B：贝克在中国 两年了，"我问你"还说成 "我吻你"呢！

Shì ma?
A：是吗？

2. In a shop

Nǐ kàn, wǒ zhè tào yīfu héshì bu héshì?
A：你看，我这套衣服合适不合适？

Bié le, nǐ chuān shénme dōu hěn shuài.
B：别＿＿＿了，你穿 什么都很 帅。

Wànyī nǐ fùmǔ bù mǎnyì zěnme bàn?
A：万一你父母不满意怎么办？

Hǎo le, bú huì de.
B：好了，不会＿＿＿＿＿的。

☃ What do you say?

1. You have invited some friends to have dinner in your house, but the beef you want to serve is burnt. Now the guests are on the way to your house. You are pretty worried.
2. Your friend has been ill for a month, and she is feeling depressed. Now you are trying your best to comfort her.
3. Your friend attended a job interview, but he failed. This upset him, and you try to cheer him up.
4. Your colleague is Chinese. She is going to have her first baby, and she is nervous. You try to encourage her and ease her tension.

☃ Create conversations according to the following situations.

1. A little girl has lost her parents in the street, and she is crying. A lady is trying to help her, and cheer her up.
2. Bai Yun found that her boyfriend had gone shopping with another girl, and they seemed to have a close relationship. She feels angry and depressed, and hasn't eaten anything in the last two days. Now her friend is talking to her, and offering her comfort.
3. Wang Ning is under great pressure from his job, and cannot sleep these days. He consults his friend about his stress.

☃ Listen and do the following exercises.

1. Answer the following questions.

   (on the phone)

   (1) Where is the woman when the man is calling?

   (2) Who is ill?

2. Complete the following dialogue.

   (at the airport)

   Āiyā,   wǒ de hùzhào wàng dài le.
   A: 哎呀，我 的 护 照 忘 带 了。
   Zhēn de?   zài zhǎozhao.
   B: 真 的 ? _____, 再 找 找。
   Shì méi dài,
   A: 是 没 带，_____?
   Gěi nǐ xiānsheng dǎ ge diànhuà, ràng tā mǎshàng sòng lai.
   B: 给 你 先 生 打 个 电 话，让 他 马上 送 来。

🔆 Reading.

bié kū le
别哭(cry)了

Mǎomao   shì xiǎoxué   ér niánjí
毛毛(person's name)是 小学(primary school)二 年 级(second grade)

de xuésheng.   Yǒu yí cì kǎoshì,   wǔshí ge tóngxué,   zhǐyǒu yí
的 学 生(student)。有 一 次 考 试(exam)，50个 同 学， 只 有 一

ge rén dé le yìbǎi fēn,   Mǎomao dé le jiǔshíjiǔ fēn. Dànshì lǎoshī què fāxiàn
个 人 得 了 100分(mark)，毛 毛 得 了 99分。但 是 老 师 却 发 现

tā kū le.   Lǎoshī ānwèi   tā shuō: "Zhè cì kǎoshì hěn nán,   nǐ
他 哭 了。老 师 安 慰(comfort)他 说："这 次 考 试 很 难， 你

kǎo le jiǔshíjiǔ fēn, yǐjīng fēicháng hǎo le.   Bié kū le,   jiù shǎo le yì fēn."
考 了 99分，已 经 非 常 好 了。 别 哭 了， 就 少 了 一 分。"

Mǎomao shuō: "Bù shì yì fēn,   shì yìbǎi fēn."   "Shénme?"   Lǎoshī
毛 毛 说："不 是 一 分， 是 100分。" "什 么？ " 老 师

méiyǒu tīng dǒng.   "Wǒ māma shuō,   kǎo yìbǎi fēn,   gěi wǒ yí kuài qián.   Yí kuài
没 有 听 懂。"我 妈 妈 说， 考 100分， 给 我 1 块 钱。 1 块

qián bù shì   yìbǎi fēn   ma?"   Mǎomao shuō.
钱 不 是 100分 吗？ " 毛 毛 说。

Answer the questions according to the passage.

1. What is Maomao crying for?

2. How many meanings of "100 分" are there in the passage?

Cultural tips

In China, you should register in a hospital before you see a doctor. The registration fee varies in different hospitals. For example, the registration fee is ¥ 4.5 in most hospitals, but if you would like to see a senior doctor at a special out-patient department, you will be charged ¥ 7 or ¥ 10 for the registration fee. The registration fee can go up to ¥ 50 depending on which doctor you will see. Very often it is not easy to get registered to see a senior doctor in a hospital, and therefore you need to get registered and make an appointment in advance.

Character writing

zhuān

zhuān	zhuān	zhuān	zhuān	zhuān	zhuān	zhuān	zhuān	zhuān
专	专	专	专	专	专	专	专	专

jiā

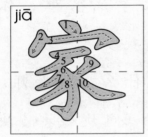

jiā	jiā	jiā	jiā	jiā	jiā	jiā	jiā	jiā
家	家	家	家	家	家	家	家	家

mén

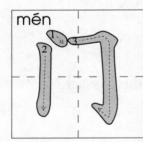

mén	mén	mén	mén	mén	mén	mén	mén	mén
门	门	门	门	门	门	门	门	门

zhěn

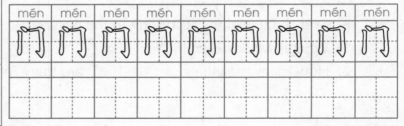

zhěn	zhěn	zhěn	zhěn	zhěn	zhěn	zhěn	zhěn	zhěn
诊	诊	诊	诊	诊	诊	诊	诊	诊

Chapter 15

I'm sorry to keep you waiting so long

Learn to

- Make an apology and forgive somebody for something

- Say 真不好意思 zhēn bù hǎoyìsi
  不要紧 bú yàojǐn
  抱歉 bàoqiàn
  这也难怪 zhè yě nánguài

New words and expressions

cún 存	save, deposit		Tángzhuāng 唐装	Chinese style dress	
cúnzhé 存折	deposit book		dānzi 单子	receipt	
huò 或	or		sòng 送	send	
dì yī cì 第一次	the first time		shì 试	have a try	
yínháng 银行	bank		hé shēn 合身	fit	
ò 哦	oh		zhuāng 装	pack	
kāi zhànghù 开账户	open an account		hézi 盒子	box	
huóqī 活期	current account		nánguài 难怪	no wonder	
dìngqī 定期	fixed deposit				

Dialogue

1 *David (D) wants to open an account, and talks to a clerk (C) in a bank.*

Zhēn bù hǎoyìsi, ràng nín jiǔ děng le.
C: 真 不 好 意 思 ， 让 您 久 等 了 。

Bū yàojǐn. Wǒ xiǎng cún wǔ qiān Měiyuán.
D: 不 要 紧 。 我 想 存 五 千 美 元 。

Qǐng bǎ nín de cúnzhé huò kǎ gěi wǒ.
C: 请 把 您 的 存 折 或 卡 给 我 。

Wǒ shì dì yī cì lái nǐmen yínháng...
D: 我 是 第 一 次 来 你 们 银 行 ……

Ò, nà nín děi xiān kāi yí ge zhànghù. Hùzhào dài le ma?
C: 哦 ， 那 您 得 先 开 一 个 账 户 。 护 照 带 了 吗 ？

Gěi nǐ.
D: 给 你 。

Huóqī háishi dìngqī?
C: 活 期 还 是 定 期 ？

Dìngqī ba, cún bàn nián.
D: 定 期 吧 ， 存 半 年 。

C: I'm sorry to keep you waiting so long.
D: Never mind. I want to deposit five thousand American dollars.
C: Please give me your deposit book or bank card.
D: Oh, this is the first time I've come to this bank.
C: I see. You'd better open an account first. Do you have your passport with you?
D: Yes, here you are.
C: Current account or fixed deposit, sir?
D: Fixed for six months.

② *Amy (A) gets the Chinese style dress that she has ordered, and talks to the tailor (T).*

Shīfu,　qǐngwèn wǒ de Tángzhuāng zuò hǎo le ma?
A: 师傅，请问 我的 唐装　做好了吗？

Nín de dānzi?
T: 您的单子？

Gěi nǐ,　shàng Xīngqī'èr wǎnshang
A: 给你，　上星期二 晚上

sòng lai de.
送来的。

(kàn dānzi) Yīnggāi zuò hǎo le.
T: (看单子) 应该 做好了。

Wǒ zhǎozhao, zài zhèr ne.　Nín shìshi hé bu hé shēn?
我找找，在这儿呢。您试试合不合身？

(dǎ kāi hézi) Zhè bú shì wǒ de!
A: (打开盒子) 这不是我的！

Wǒ de shì hóngsè de.
我的是红色的。

Wǒ kànkan.　Ò,　shì wǒmen zhuāng cuò
T: 我看看。哦，是我们　装错

le hézi, qǐng nín shāo děng yíhuìr
了盒子，请您 稍　等一会儿，

bàoqiàn.
抱歉。

Zhè yě nánguài, dào nǐmen zhèr zuò
A: 这也难怪，到你们这儿做

yīfu de rén tǐng duō de.
衣服的人 挺多的。

Zhǎo dào le,　zhè cì kěndìng bú huì cuò le.
T: 找 到了，这次肯定 不会错了。

Language notes

"把(bǎ)+Object+给(gěi)+Somebody" is used to indicate transferring something from one person to another.

e.g.
1. Qǐng bǎ nín de cúnzhé huò kǎ gěi wǒ.
    请 把 您 的 存 折 或 卡 给 我 。
    Please give me your deposit book or bank card.

2. Wǒ gāng bǎ wénjiàn gěi jīnglǐ le.
    我 刚 把 文 件 给 经 理 了 。
    I just handed the documents over to the manager.

3. Dàwèi xiǎng bǎ zhè shù huā sòng gěi tā māma.
    大 卫 想 把 这 束 花 送 给 他 妈 妈 。
    David wants to give the bunch of flowers to his mother.

The words "好(hǎo), 错(cuò), 到(dào)" can be used after verbs to show the result of actions.

e.g.
1. Qǐngwèn wǒ de Tángzhuāng zuò hǎo le ma?
    请 问 我 的 唐 装 做 好 了 吗 ?
    Excuse me, is my Chinese style dress ready?

2. Shì wǒmen zhuāng cuò le hézi, zhēn bàoqiàn.
    是 我 们 装 错 了 盒 子 , 真 抱 歉 。
    I'm sorry we packed it in a wrong box.

3. Àimǐ mǎi dào nà běn shū le.
    艾 米 买 到 那 本 书 了 。
    Amy has bought the book.

Useful words and expressions

insect, worm	xiǎo chóngzi 小 虫 子		crowded	yōngjǐ 拥 挤
mistake somebody for somebody else	rèn cuò rén 认 错 人		play football	tī qiú 踢 球
consider	kǎolǜ 考 虑		break	dǎ pò 打 破

glass	bōli 玻璃	deeply regrettable	shífēn / shízài bàoqiàn 十分 / 实在抱歉
a pot of	hú 壶	please forgive me	qǐng yuánliàng 请 原谅
black tea	hóngchá 红茶	it doesn't matter	méi shìr / méi guānxi 没事儿 / 没关系
give change	zhǎo qián 找 钱	let it be	suàn le 算 了
long	chǎng 长	be careful next time	xià cì zhùyì jiù xíng le 下次注意就行了
short	duǎn 短		

Tasks

Complete the following short dialogues.

1. In a Starbucks

Xiānsheng, qǐng nǐ lái yíxià.
A：先生 ，请你来一下 。

B：_____?
Nǐ kàn kāfēi li yǒu yì zhī xiǎo chóngzi.
A：你看咖啡里有一只小虫子。

wǒ zài gěi nín huàn yì bēi ba.
B：_____，我再给您换一杯吧。

2. At the garage

Wǒ de chē xiū hǎo le ma?
A：我的车修好了吗？
Qǐng nín shāo děng   hǎo ma?
B：请 您 稍 等 _____，好吗？
Wǒ yǐjīng děng le liǎng tiān le.
A：我已经等了两天了。
zhè liǎng tiān yǒu jǐ ge shīfu bìng le.
B：_____，这 两 天 有 几 个 师傅病了 。
zuìjìn gǎnmào de rén tǐng duō de.
A：_____，最近感冒的人挺多的。

143

What do you say?

1. You patted the man in front of you because you thought it was Wang Ning, but you found out that you made a mistake. You make an apology to the person.

2. At a meeting, the manager asks your opinion, but you haven't prepared, you have to apologize for that.

3. You receive a wrong call and the man apologizes to you, and you forgive him.

4. In a crowded subway, a passenger apologizes to you for stepping on your foot accidentally, and you express your forgiveness.

Create conversations according to the following situations.

1. Laura's child plays football in the courtyard and breaks Wang Juan's window. Laura apologizes to Wang Juan and Wang Juan says it's alright.

2. Amy orders a pot of green tea in the teahouse, but the waiter gives her a pot of black tea. The waiter apologizes to Amy, and then Amy forgives him.

3. David pays for his purchases in the supermarket, and notices that the cashier has given him 10 Yuan short in change. The cashier apologizes to David, and David forgives her.

Listen and do the following exercises.

1. Choose the correct answer to the questions.

(at the tailor's shop)

(1) What do they talk about?

a. zhǎo yīfu 找衣服　　b. mǎi yīfu 买衣服　　c. zuò yīfu 做衣服　　d. sòng yīfu 送衣服

(2) What does the customer think of the clothes?

a. yǒudiǎnr dà 有点儿大

b. yǒudiǎnr xiǎo 有点儿小

c. yǒudiǎnr cháng 有点儿长

d. yǒudiǎnr duǎn 有点儿短

2. Decide whether the following sentences are true or false according to the dialogue.

   (in the office)

   (1) Amy forgot to take the overcoat again.   (   )
   (2) Amy will certainly take the overcoat to her colleague tomorrow.
       (   )

🐸 Reading.

Zhōngguó Yínháng chǔxù cúnkuǎn   lìlǜ
中国银行储蓄存款(savings)**利率**(interest rate)

dānwèi   nián   rì qī
单位(unit): %/**年**   **日期**(date): 2007-08-22

类型	存期	人民币 (RMB)	美元 (USD)	英镑 (GBP)	欧元 (EUR)
活期		0.81	1.15	0.3	0.1
定期	一个月		2.25	1.75	0.75
定期	三个月	2.61	2.75	2.3125	1
定期	半年	3.15	2.875	2.6875	1.125
定期	一年	3.6	3	3.0625	1.25
定期	二年	4.23	3.25	3.125	1.3125

Choose the correct answer to the questions according to the table.

1. Which currency can't be used for a one-month fixed deposit?
   a. RMB   b. EUR   c. GBP

2. At the Bank of China, how much is the British Pound's interest rate for a one-year deposit account?
   a. 2.25%   b. 3%   c. 3.0625%

3. At the Bank of China, which currency interest rate is the highest if money is saved for half a year?
   a. RMB   b. USD   c. GBP

Cultural tips

In China, the central bank is the People's Bank of China. The main commercial banks include the Bank of China (BC), the Industrial and Commercial Bank of China (ICBC), the Agriculture Bank of China (ABC) and the Construction Bank of China (CBC). Among them, BC is the largest bank with foreign currency business. The foreigners who come to do business usually have their accounts with BC. In China, foreigners can open an account in any bank with their passports, and use all bank services according to their personal needs. Clients can check their accounts, make transactions and report on the loss of cards or deposit books on telephone and the Internet.

Character writing

huó	huó	huó	huó	huó	huó	huó	huó	huó
活	活	活	活	活	活	活	活	活

qī	qī	qī	qī	qī	qī	qī	qī	qī
期	期	期	期	期	期	期	期	期

dìng	dìng	dìng	dìng	dìng	dìng	dìng	dìng	dìng
定	定	定	定	定	定	定	定	定

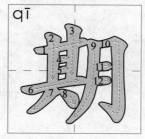

qī	qī	qī	qī	qī	qī	qī	qī	qī
期	期	期	期	期	期	期	期	期

hù	hù	hù	hù	hù	hù	hù	hù	hù
护	护	护	护	护	护	护	护	护

zhào	zhào	zhào	zhào	zhào	zhào	zhào	zhào	zhào
照	照	照	照	照	照	照	照	照

Chapter 16

You've done a good job

Learn to

- Make a compliment, praise someone, and reply with modesty

- Say
  马马虎虎 mǎmǎhūhū
  真有两下子 zhēn yǒu liǎngxiàzi
  好极了 hǎo jí le
  过奖过奖 guòjiǎng guòjiǎng

New words and expressions

bùzhì 布置	decorate		qí pǎo 旗袍	cheongsam (Chinese lady's dress)	
zì jǐ 自己	oneself		dìngzuò 订做	tailor-made	
shè jì 设计	design		shì yàng 式样	style	
zhēn yǒu liǎngxiàzi 真有两下子	really clever		zuògōng 做工	quality	
kè tīng 客厅	sitting room		xì 细	fine, careful	
huā 花	spend (money, time)		chuān 穿	wear	
wǒmen jiā nǎ wèi 我们家那位	my husband or wife		guòjiǎng 过奖	flatter	
huà 画	draw, paint		diàn 店	store, shop	
liǎobuqǐ 了不起	great		quèshí 确实	true, indeed	
rèn bu chū 认不出	can't recognize				

Dialogue

1 *Amy (A) visits Bai Yun's (B) new house.*

Nǐmen jiā bùzhì de zhēn búcuò!
A: 你们家布置得真不错!

Mǎmǎhūhū ba, dōu shì wǒ zìjǐ shèjì de.
B: 马马虎虎吧,都是我自己设计的。

Shì ma? Nǐ hái zhēn yǒu liǎngxiàzi!
A: 是吗? 你还真有两下子!

Nǎli   nǎli,   lái kètīng zuòzuo ba.
B: 哪里哪里,来客厅坐坐吧。

Wǒ gěi nǐ ná diǎnr   hē de lái.
我给你拿点儿喝的来。

(kàn qiáng shang) Zhè zhāng Zhōngguóhuà yě búcuò,   hěn guì ba?
A: (看墙上)这张中国画也不错,很贵吧?

Méi huā qián, shì wǒmen jiā nà wèi zìjǐ huà de.
B: 没花钱,是我们家那位自己画的。

Zhēn liǎobuqǐ! Gǎitiān néng qǐng tā
A: 真了不起! 改天能请他

bāng wǒ huà yì zhāng ma?
帮我画一张吗?

Méi wèntí.
B: 没问题。

A: Your house is beautifully decorated.
B: Thanks. It's not too bad. I did it myself.
A: Really? You've done a good job.
B: You flatter me! Come to the sitting room and take a seat, please. I'll bring you a drink.
A: (looking at the wall) The Chinese painting is very good. It must be very expensive.
B: No, we did not pay a penny. My husband painted it.
A: He's so good! Could he paint one for me in the future?
B: No problem.

② *Bai Yun (B) talks about the new cheongsam with Amy (A).*

Chà diǎnr rèn bu chū nǐ le,
S: 差 点 儿 认 不 出 你 了 ,
shì xīn mǎi de qí páo ma?
是 新 买 的 旗 袍 吗?

Bú shì, shì dìngzuò de.
A: 不 是 , 是 订 做 的 。

Zhēn búcuò! Shìyàng yòu hǎo,
S: 真 不 错 ! 式 样 又 好 ,
zuògōng yòu xì.
做 工 又 细 。

Nǐ kān wǒ chuān héshì ma?
A: 你 看 我 穿 合 适 吗?

Hǎo jí le, hěn yǒu Zhōngguó wēidào.
S: 好 极 了 , 很 有 中 国 味 道 。

Guòjiǎng guòjiǎng, búguò nà jiā diàn quèshí búcuò.
A: 过 奖 过 奖 , 不 过 那 家 店 确 实 不 错 。

Zài nǎr? Gǎitiān wǒ yě qù kànkan.
S: 在 哪 儿 ? 改 天 我 也 去 看 看 。

Méi wèntí, wǒ dài nǐ qù.
A: 没 问 题 , 我 带 你 去 。

S: I can hardly recognize you. Did you just buy the cheongsam?
A: No, I had it made.
S: It looks good! The style is good, and the quality is also good.
A: Do you think it fits me?
S: Yes, it fits you very well. Now you look very Chinese.
A: Thank you. The dressmaker is indeed good.
S: Where is your dressmaker? I'd like to go there one day to have a look.
A: No problem. I'd like to take you there.

Language notes

"Verb +来(lái)" is used to indicate the direction of an act towards the speaker, and "Verb +去(qù)" is opposite to "Verb +来".

e.g.
1.
Wǒ gěi nǐ ná diǎnr hē de lái.
我 给 你 拿 点 儿 喝 的 来 。
I will bring you a drink.

2.
Wǒ yào de nà běn shū nǐ dài lái le ma?
我 要 的 那 本 书 你 带 来 了 吗 ?
Have you brought with you the book I want?

3.
Wǒ gěi māma fā qù yì fēng diànzǐ yóujiàn.
我 给 妈 妈 发 去 一 封 电 子 邮 件 。
I sent an e-mail to my mother.

"Verb +得/不出(de/bu chū)" indicates the revelation or emergence of something in a particular situation.

e.g.
1.
Chà diǎnr rèn bu chū nǐ le.
差 点 儿 认 不 出 你 了 。
I can hardly recognize you.

2.
Wǒ kàn bu chū zhè zhāng huàr shang huà de shì shénme.
我 看 不 出 这 张 画 儿 上 画 的 是 什 么 。
I can't recognize what is in the picture.

3.
Dàwèi xiě de chū zhèxiē Hànzì.
大 卫 写 得 出 这 些 汉 字 。
David can write these Chinese characters.

Useful words and expressions

English	Pinyin / Chinese	English	Pinyin / Chinese
exercise	liànxí 练习	boiled meat slices	shuǐzhǔ ròupiàn 水煮肉片
special dish	tèsè cài 特色菜	live up to one's reputation	míng bù xū chuán 名不虚传
famous dish	zhāopái cài 招牌菜	tennis	wǎngqiú 网球

hairstyle	fàxíng 发型	refreshment	diǎnxin 点心
fit	shìhé 适合	flower	huā 花
cut	jiǎn 剪	grass	cǎo 草
perm	tàng 烫	courtyard	yuànzi 院子
massage	tuīná 推拿	park	gōngyuán 公园
waist	yāo 腰	seem	kàn shangqu 看上去
pain, sore	téng 疼	really good	zhēn búcuò/lìhai /xíng 真不错/厉害/行
cocktail party	jīwěijiǔ huì 鸡尾酒会	I don't deserve it / your praise	hái chà de yuǎn ne 还差得远呢

Tasks

☃ **Complete the following short dialogues.**

1. In the Chinese lesson

Liànxí zuò hǎo le .
A：练习做好了。
Zhème kuài?
B：这么快？
Nǐ kànkan duì bu duì?
A：你看看对不对？
Ng, nǐ
B：嗯，你_____！

A：_____。

2. In the restaurant

Xiānsheng, zhège cài de wèidào zěnmeyàng?
A：先生，这个菜的味道怎么样？
Qǐngwèn, zhè shì shénme cài?
B：_____。请问，这是什么菜？

Zhè shì wǒmen de tèsè cài — shuǐzhǔ ròupiàn.
A：这 是 我 们 的 特 色 菜——水 煮 肉 片。

Zhēn shì míng bù xū chuán a !
B：真 是 名 不 虚 传 啊！

A：_____ 。

🙂 What do you say?

1. You praise Wang Ning for his well-played tennis.
2. You are satisfied with a new hairstyle, and you praise the hairdresser's skill.
3. As a doctor working in a Chinese hospital, you respond to a patient's compliment after the massage you gave.
4. All of your colleagues praise you for the successful cocktail party you organized the other day, and you respond with modesty.

🙂 Create conversations according to the following situations.

1. Bai Yun is at Laura's home. She praises the refreshments Laura has made, and Laura responds very humbly.
2. The teacher comments that Billy's calligraphy has made great progress, and Billy replies with modesty.
3. Helen's new neighbour praises Helen's courtyard which is as beautiful as a park, and Helen responds with modesty.

🙂 Listen and do the following exercises.

1. Choose the correct answer to the questions.

   (Bai Yun is praising David's Chinese)

   (1) How long has David studied Chinese?

   yī gè yuè   bàn nián   yì nián duō   liǎng nián
   a. 一 个 月   b. 半 年   c. 一 年 多   d. 两 年

   (2) Who teaches David Chinese?

   tā de dàxué lǎoshī   tā de jiājiào
   a. 他 的 大 学 老 师   b. 他 的 家 教
   tā de péngyou   tā de mèimei
   c. 他 的 朋 友   d. 他 的 妹 妹

2. Decide whether the following sentences are true or false according to the dialogue.

   (a guest is having a meal at Amy's home)

   (1) The man thinks the dumplings don't taste very good. (   )
   (2) Amy bought the dumplings in the supermarket.   (   )

🐸 Reading.

yǒu yìsi de Hànzì
有意思的汉字

Wàiguórén yí kàn dào Hànzì jiù tóu téng,   tāmen juéde
外国人一看到汉字就头疼 (annoyed)，他们 觉得

Hànzì hěn nán xiě,   búguò Hànzì yě shì hěn yǒu yìsi de.   Gǔdài
汉字很难写，不过汉字也是很有意思的。**古代** (ancient

de rén chángcháng bǎ tāmen kàn dào de dōngxi   huà xià lai
time) 的人 常常 把他们 看到 的 **东西** (something) 画下来，

hòulái zhèxiē   huàr   jiù mànmān   de biàn chéng   le
后来 这些 **画儿** (picture) 就 **慢 慢** (slowly) 地 **变 成** (change into) 了

xiànzài   wǒmen yòng de   yìxiē   Hànzì.
现在 我们 用 的 一些 汉字 。

Kànkan xiàmian   de "huàr",   nǐ néng cāi de chū   shì nǎ
看看 **下 面** (below) 的 "画儿"，你 能 **猜 得 出** (guess) 是 哪

ge Hànzì ma?
个 汉字 吗？

🔥 ♯ ☉ 𝅘 囲 川 𓆙

𝒞ultural tips

A Chinese lady's long dress, called cheongsam (or qipao), is well-known in the world. It was originally the special dress of Manchu women, and was very popular in the Qing Dynasty. At that time, the cheongsam was a large robe with long sleeves. After 1911, the style of the cheongsam gradually changed. Until the late 1930s, the new style cheongsam first appeared in Shanghai. It looks tighter than it used to be. In those days, the cheongsam had become Chinese women's standard formal dress with the characteristics of both Chinese traditional and Western style.

清末宽袍大袖的旗袍
in Qing Dynasty

30年代上海流行的紧身旗袍
in the 1930s in Shanghai

Character writing

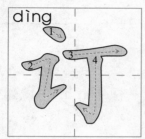

dìng	dìng	dìng	dìng	dìng	dìng	dìng	dìng	dìng
订	订	订	订	订	订	订	订	订

zuò	zuò	zuò	zuò	zuò	zuò	zuò	zuò	zuò
做	做	做	做	做	做	做	做	做

liǎo	liǎo	liǎo	liǎo	liǎo	liǎo	liǎo	liǎo	liǎo
了	了	了	了	了	了	了	了	了

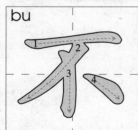

bu	bu	bu	bu	bu	bu	bu	bu	bu
不	不	不	不	不	不	不	不	不

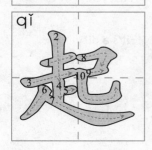

qǐ	qǐ	qǐ	qǐ	qǐ	qǐ	qǐ	qǐ	qǐ
起	起	起	起	起	起	起	起	起

Chapter 17

She will come

○ Show your belief, disbelief and doubt

○ Say 她会来的 tā huì lái de
　　　我怀疑她忘了 wǒ huáiyí tā wàng le
　　　我不相信 wǒ bù xiāngxìn

New words and expressions

dōu 都	already	Dàlǐ 大理	Dali (name of a city)
dǎ shǒujī 打手机	call someone's mobile phone	Lìjiāng 丽江	Lijiang (name of a city)
bù zài fúwù qū 不在服务区	cannot be connected	Lúgū Hú 泸沽湖	Lugu Lake
dǔ chē 堵车	traffic jam	jié hūn 结婚	get married
huáiyí 怀疑	suspect, doubt	xiāngxìn 相信	believe
wàng bu liǎo 忘不了	can't forget	qùnián 去年	last year
Yúnnán 云南	Yunnan (name of a province)	kěxī 可惜	it's a pity
Kūnmíng 昆明	Kunming (name of a city)		

Dialogue

1 *Amy (A) invites Wang Ning(W), David(D) and Bai Yun to her birthday party.*

Dōu qī diǎn bàn le, Bái Yún zěnme hái bù lái?
A: 都七点半了，白云怎么还不来？

Nǐ fàngxīn, tā huì lái de.
W: 你放心，她会来的。

Tā bú shì wǔ diǎn bàn xià bān ma? Gěi tā dǎguo shǒujī le ma?
D: 她不是五点半下班吗？给她打过手机了吗？

Dǎguo le, kěshì bú zài fúwù qū.
W: 打过了，可是不在服务区。

Kěnéng lù shang dǔ chē le!
D: 可能路上堵车了！

Wǒ huáiyí tā wàng le.
A: 我怀疑她忘了。

Zěnme kěnéng ne? Nǐ de shēngrì tā kěndìng wàng bu liǎo.
W: 怎么可能呢？你的生日她肯定忘不了。

Zài děngdeng ba.
D: 再等等吧。

A: It's 7:30 already, but Bai Yun hasn't come yet.

W: Take it easy. She will come.

D: Doesn't she always leave work at 5:30? Have you called her mobile?

W: Yes, I have, but the line could not be connected.

D: Maybe she is stuck in traffic.

A: I think she might forget my birthday party.

W: It is impossible. I'm sure she would never forget your birthday.

D: OK, let's wait for a little longer.

2 David (D) and Wang Ning (W) are in a pub.

W: Zuìjìn zěnme méi kànjiàn nǐ?
最近 怎么 没 看见 你？

D: Wǒ qù Yúnnán lǚyóu le!
我 去 云南 旅游 了！

W: Qù le nǎ xiē dìfang?
去 了 哪些 地方？

D: Qù le Kūnmíng, Dàlǐ hé Lìjiāng.
去 了 昆明、大理 和 丽江。

W: Méi qù Lúgū Hú ma?
没 去 泸沽湖 吗？

D: Lúgū Hú zài nǎr?
泸沽湖 在 哪儿？

W: Zài Lìjiāng fùjìn. Tīngshuō nàr de rén dōu bù jié hūn.
在 丽江 附近。 听说 那儿 的 人 都 不 结婚。

D: Zhè shì zhēn de ma? Wǒ bù xiāngxìn.
这 是 真的 吗？我 不 相信。

W: Zhēn de! Wǒ de péngyou qùnián qùguo.
真 的！我 的 朋友 去年 去 过。

D: Tài kěxī le! Wǒ yídìng yào zài qù
太 可 惜 了！我 一 定 要 再 去

yí cì Yúnnán.
一 次 云南。

W: I haven't seen you recently.
D: I took a trip to Yunnan.
W: What places did you go to?
D: I went to Kunming, Dali and Lijiang.
W: Didn't you go to Lugu Lake?
D: Where is the lake?
W: It is just near Lijiang. I heard that the local people there never get married.
D: Is it true? I can't believe it.
W: It's true! My friend visited there last year.
D: Oh, it's a pity! I will go to Yunnan again.

Language notes

"都(dōu)+ Words of Time or Number+了(le)" is used to emphasize late time or old age, etc.

Dōu qī diǎn bàn le!
e.g. 1. 都 七 点 半 了 !
It's 7:30 already!

Tā dōu bāshí suì le, shēntǐ hái hěn hǎo.
2. 他 都 八 十 岁 了 , 身 体 还 很 好 。
He is eighty, but he is still in good health.

"会……的(huì...de)" is used to stress the certainty.

Tā huì lái de.
e.g. 1. 她 会 来 的 。
She will certainly come.

Wǒ huì děng nǐ de.
2. 我 会 等 你 的 。
I will be waiting for you.

"不是……吗(bú shì...ma)" is a rhetorical question. It means "isn't it true that ...". The structure is used to emphasize the fact that is stated after "不是" and the speaker doesn't expect a reply.

Tā bú shì wǔ diǎn bàn xià bān ma?
e.g. 1. 她 不 是 五 点 半 下 班 吗 ?
Doesn't she always leave work at 5:30?

Nǐ bú shì Yīngguórén ma?
2. 你 不 是 英 国 人 吗 ?
Aren't you British?

Useful words and expressions

	pāo wēnquán			dànjì
enjoy/have fun in the warm spring	泡 温 泉		slack season	淡 季
advertisement	guǎnggào 广 告		two-flight ticket	shuāng fēi 双 飞
busy/peak season	wàngjì 旺 季		five-day trip	wǔ rì yóu 五 日 游

big change	biànhuà dà 变化大	it is... indeed	quèshí shì zhèyàng/ 确实是这样/ nàyàng 那样	
do housework	zuò jiāwù 做家务			
bean curd	dòufu 豆腐	maybe not	bù duì ba 不对吧	
second-hand	èrshǒu 二手	it can't be	bú huì ba 不会吧	
bridge	qiáo 桥	it's unlikely	bú tài kěnéng 不太可能	
will certainly	bú huì bù 不会不	impossible	bù kěnéng 不可能	
right, correct	méi cuò 没错	talk rubbish	xiāshuō 瞎说	

Tasks

✿ Complete the following short dialogues.

1. In a dumpling restaurant

Zhè jiā de jiǎozi   ba?
A: 这 家 的 饺子 _____ 吧？

Zhēn de búcuò.
B: 真 的 不错。

Shàng cì wǒ yíxiàzi chī le wǔshí ge.
A: 上 次 我 一下子 吃了50 个。

Wǒ bù
B: 我 不 _____。

Zhēn de!
A: 真 的！

2. In a country club

A:
<small>Zuò le liǎng ge xiǎoshí de chē, tài lèi le.</small>
坐 了 两 个 小 时 的 车 , 太 累 了 。

B:
<small>Wǎnshang qù pāopao wēnquán ba.</small>
＿＿＿＿＿＿! 晚 上 去 泡泡 温泉 吧 。

A:
<small>Hǎo zhǔyi. Xiǎo Zhāng huì qù ma?</small>
好 主 意 。 小 张 会 去 吗 ?

B:
<small>Xiǎo Zhāng de, tā zài chē shang jiù shuō le.</small>
小 张 ＿＿＿＿的 , 她 在 车 上 就 说 了 。

👤 Look and say.

> **Use words and expressions such as**
>
> | <small>huì... de</small> | <small>xiāngxìn</small> | <small>huáiyí</small> | <small>zěnme kěnéng</small> | <small>zhēn de ma</small> |
> |---|---|---|---|---|
> | 会……的 | 相信 | 怀疑 | 怎么可能 | 真的吗 |

今年20,
明年18 ♥

👤 Create conversations according to the following situations.

1. Wang Ning tells David that some Chinese men never do any housework at home. David believes him, because he knows such people.
2. Secretary Zhang is in a Dragon restaurant with his English guests. The waiters serve them 10 different dishes all made of bean curd. The guests can't believe it.
3. Wang Ning said that he can buy a bicycle for only seventy or eighty Yuan in a second-hand bicycle market. But David thinks that he is joking.
4. David lost his mobile phone in a taxi, but he still believes he will get it back. His Chinese friends doubt it.

Listen and do the following exercises.

1. Answer the following questions.

(two colleagues are talking)

(1) Is Miss Liu married?
(2) How old is Miss Liu's child?

2. Complete the following dialogue.

(after the trip, A asks her friend to see the photos)

　　　　Nǐ kàn,　zhè jiù shì Lìjiāng.
A：你看，这就是丽江。
　　　　　　　　　　　　Wǒ juéde shì Sūzhōu.
B：_____？我觉得是苏州。
　　　　　　　　　　　　Búguò Sūzhōu hé Lìjiāng dōu shì qiáo duō, shuǐ duō.
A：_____？不过苏州和丽江都是桥多，水多。
　　Wǒ shuō de yě duì ba.
B：我说得也对吧。

Reading.

huǒchē méiyǒu qìchē kuài — nǐ xiāngxìn ma
火车没有汽车快——你相信吗

　　　Wǒmen dōu zhīdào huǒchē bǐ　　qìchē kāi de kuài,
　　我们都知道火车比(than)汽车开得快，
　　kěshì zài Yúnnán lǚyóu de shíhou,　　dǎoyóu　　què
可是在云南旅游的时候，导游(guide)却
gěi wǒmen jièshào shuō,　Yúnnán yǒu shíbā jiàn qíguài de shìqing —
(but)给我们介绍说，云南有十八件奇怪的事情(things)
　"Yúnnán shíbā guài",　　qízhōng　　yí jiàn guài shì jiù shì
——"云南十八怪"，其中(among them)一件怪事就是
"huǒchē méiyǒu qìchē kuài".
"火车没有汽车快"。

　　Nàme,　huǒchē wèishénme méiyǒu qìchē kuài ne? Yúnnán de shān yòu
　　那么，火车为什么没有汽车快呢？云南的山又
duō yòu gāo,　　zài zhèyàng de dìfang xiū　　tiělù　　fēicháng
多又高(high)，在这样的地方修(build)铁路(railway)非常
kùnnan,　　Yúnnán de tiělù bǐ yìbān　　de tiělù zhǎi
困难(difficult)，云南的铁路比一般(common)的铁路窄
　　huǒchē yě bǐjiào xiǎo. Xiǎo huǒchē
(narrow)，火车也比较小。小火车
zài shān zhōng xíngshǐ,　　suǒyǐ hěn màn.
在山中行驶(go)，所以很慢。

162

Answer the questions according to the passage.

1. How many strange things did the tour guide relate about in Yunnan?
2. Why do trains run slower than cars in Yunnan?

Cultural tips

丽　江
Lijiang

The old towns in the Lijiang area and the classical gardens of Suzhou are both listed in the catalogue of world cultural and natural heritage sites. In June of 2007, there were 35 places in China listed as world cultural and natural heritage sites, such as the Imperial Palaces of the Ming and Qing Dynasties, the Summer Palace (an Imperial Garden in Beijing), the Great Wall, Mount Taishan, Mount Huangshan, Jiuzhaigou Valley Scenic and Historic Interest Area, and so on. Among them, 25 places are cultural heritage sites, 6 places are natural heritage, and 4 places belong to both cultural and natural sites.

苏州园林
classical gardens of
Suzhou

Character writing

fú

fú	fú	fú	fú	fú	fú	fú	fú	fú
服	服	服	服	服	服	服	服	服

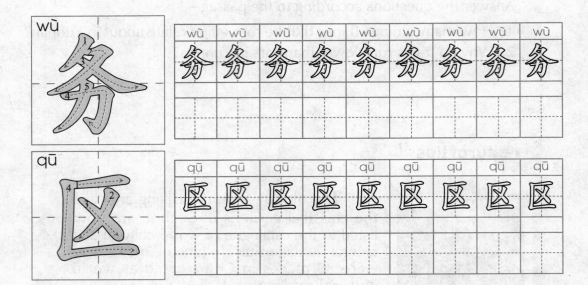

wù	wù	wù	wù	wù	wù	wù	wù	wù
务	务	务	务	务	务	务	务	务

qū	qū	qū	qū	qū	qū	qū	qū	qū
区	区	区	区	区	区	区	区	区

Chapter 18

Do you agree?

Learn to

○ Agree, disagree and oppose

○ Say 你赞成……吗 nǐ zǎnchéng...ma
当然反对 dāngrán fǎnduì
就听你的吧 jiù tīng nǐ de ba

New words and expressions

Hánguó 韩国	Korea		Xīzàng 西藏	Tibet	
tóngxué 同学	classmate		xiū jià 休假	take a holiday	
cóngxiǎo 从小	since childhood		Qīng-Zàng 青藏	the Qinghai Province and Tibet	
fǎnduì 反对	oppose		tiělù 铁路	railway	
jìn chúfáng 进厨房	enter the kitchen (do housework/cooking)		tōng chē 通车	railway or highway in service	
zǎnchéng 赞成	agree		fēngjǐng 风景	scenery	
zuòfǎ 做法	behavior		Chéngdū 成都	Chengdu (name of a city)	
xiǎngfǎ 想法	opinion, view		Lāsà 拉萨	Lhasa (name of a city)	
yíyàng 一样	the same		wǎng xià kàn 往 下 看	look down	
dàduōshù 大多数	majority		tīng nǐ de 听你的	take your advice	

Dialogue

1 *After class Laura (L), talks with her neighbour (N) in the garden of their residential district.*

Jīntiān shàng kè de shíhou, yǒu yí ge Hánguó nán tóngxué shuō
L: 今天 上 课的时候，有一个韩国男 同学 说

cóngxiǎo tā māma jiù fǎnduì tā jìn chúfáng.
从小 他妈妈就反对他进 厨房。

Zhēn de?
N: 真 的？

Nǐ zànchéng tā māma de zuòfǎ ma?
L: 你赞成 他妈妈的做法吗？

Wǒ bú zànchéng. Nǐ ne?
N: 我不 赞成。你呢？

Dāngrán fǎnduì le!
L: 当然 反对了！

Nà ge Hánguórén yǒu shénme xiǎngfǎ?
N: 那个韩国人 有 什么 想法？

Gēn tā māma yíyàng!
L: 跟 他妈妈一样！

Bié de rén zěnme shuō?
N: 别 的人怎么说？

Dàduōshù fǎnduì, zhǐ yǒu jǐ ge rén zànchéng.
L: 大多数反对，只有几个人赞成。

L: Today when I was in class, a Korean classmate told us that his mother has been opposed to him doing any housework/cooking since his childhood.

N: Really?

L: Do you agree with his mother's view?

N: I disagree, and you?

L: I certainly disagree!

N: What about the Korean student's own view?

L: The same as his mother's!

N: What did other classmates think?

L: Most of them were against her position. Only a few people supported it.

② *David (D) calls Wang Ning (W).*

Bù shǎo péngyou dōu qùguo Xīzàng, jīnnián xiū jià wǒ yě dǎsuàn
D: 不少 朋友 都 去过 西藏，今年休假我也打算

qù kànkan.
去 看看。

Shénme shíhou qù?
W: 什么 时候 去？

Xià ge yuè ba.
D: 下 个 月 吧。

Zěnme qù?
W: 怎么 去？

Dāngrán shì zuò fēijī le.
D: 当然 是 坐 飞机 了。

Qīng-Zàng tiělù tōng chē le, zuò huǒchē
W: 青藏 铁路通车了，坐火车

néng kàn dào hěn duō piàoliang de fēngjǐng.
能 看 到 很 多 漂亮 的 风景。

Tīngshuō cóng Chéngdū dào Lāsà zuò
D: 听说 从 成都 到 拉萨 坐

fēijī wǎng xià kàn yě tèbié piàoliang.
飞机 往 下 看 也 特别 漂亮。

Nǐ kěyǐ qù de shíhou zuò huǒchē,
W: 你可以去的时候坐 火车，

huílai de shíhou zuò fēijī.
回来的时候坐飞机。

Jiù tīng nǐ de ba.
D: 就 听你的 吧。

D: Many friends of mine have been to Tibet. I also plan to go there during the holidays this year.
W: When are you going?
D: Maybe next month.
W: How will you go?
D: By air of course.
W: The Qing-Zang rail-road is open to traffic. I think you can see more of the beautiful scenery from the train.
D: I heard that by taking the flight from Chengdu to Lhasa you can also see wonderful views from the plane.
W: Then you can go there by train, and come back by airplane.
D: I'll do as you suggest.

Language notes

"A+跟(gēn)+B+一样(yíyàng)" is the structure of comparison between A and B indicating both A and B are the same.

Tā de xiǎngfǎ   gēn tā   māma yíyàng.
e.g. 1. (他 的 想 法) 跟 他 妈 妈 一 样 。
His opinion is the same as his mother's .

Wǒ de xié gēn tā   de   yíyàng.
2. 我 的 鞋 跟 他 的 一 样 。
My shoes are the same as his shoes.

"A+跟(gēn)+B+不一样(bù yíyàng)" or "A+不跟(bù gēn)+B+一样 (yíyàng)" is the negative form of "A+跟(gēn)+B+一样(yíyàng)".

Dàwèi de   àihào gēn wǒ bù   yíyàng.
e.g. 1. 大 卫 的 爱 好 跟 我 不 一 样 。
David's hobby is not the same as mine.

Dàwèi   de   àihào bù gēn wǒ   yíyàng.
2. 大 卫 的 爱 好 不 跟 我 一 样 。
David's hobby is not the same as mine.

Useful words and expressions

aunt, domestic worker	āyí 阿姨	naughty	tiáopí 调皮
increase, add	zēngjiā 增加	Euro	Ōuyuán 欧元
week	zhōu 周	homosexual	tóngxìngliàn 同性恋
flat (tyre)	méi qì 没气	agree	tóngyì 同意
tyre	chētāi 车胎	good idea	hǎo zhǔyi 好主意

invite guests	qǐng kè 请 客		no problem	méi wèntí 没 问 题
give birth	shēng háizi 生 孩子		have no objection	méi yìjiàn 没 意 见
that's done	jiù zhème bàn 就 这 么 办		I think so, too	wǒ yě zhème 我 也 这 么
that's all (for now)	jiù zhèyàng ba 就 这 样 吧			kàn/xiǎng 看 / 想
disagree with	bù tóngyì / zànchéng ... de shuōfǎ 不 同 意 / 赞 成 …… 的 说 法			
how come ...	zěnme néng / kěyǐ ... ne 怎 么 能 / 可 以 …… 呢			

Tasks

🔖 **Complete the following short dialogues.**

1. At home

A: Zhāng āyí, zuìjìn wǒ bǐjiào máng, xiǎng qǐng nǐ
张 阿姨，最 近 我 比 较 忙，想 请 你
měi tiān zēngjiā yí ge xiǎoshí.
每 天 增 加 一 个 小 时。

B: _____。Bùguò Xīngqīliù kěnéng bù xíng.
不 过 星 期 六 可 能 不 行。

A: _____。Nà Zhōuyī dào Zhōuwǔ měi tiān sān ge xiǎoshí, Xīngqīliù liǎng
那 周 一 到 周 五 每 天 三 个 小 时，星 期 六 两
ge xiǎoshí, xíng ma?
个 小 时，行 吗？

B: _____。

2. In a bicycle repair shop

A: Shīfu, wǒ de zìxíngchē yòu méi qì le.
师 傅，我 的 自 行 车 又 没 气 了。

B: Nǐ děng yíxià. Wǒ gěi nǐ _____。
你 等 一 下。我 给 你 _____。

B: (after checking) Nǐ de chētāi yào huàn xīn de le.
你 的 车 胎 要 换 新 的 了。

A: Shì ma? Nà jiù _____ ba.
是 吗？那 就 _____ 吧。

⛄ What do you say?

1. Your friend graduated from university about two years ago, and he has had three different jobs. You want to tell him your opinion.
2. Your friend says that all Chinese people like to have a car, not a bike any more. However, you don't think your friend is right.
3. Your English friend does not think England should join the European single currency, but you think using the Euro in England is good for the country.
4. Whether gay people can get married is controversial all over the world. Your friend is against it, but you support it.

⛄ Create conversations according to the following situations.

1. Summer is coming. Billy's girlfriend is going to cut her hair shorter, but Billy disagrees because he likes girls with long hair.
2. A couple is going to invite some guests to have dinner on Sunday. The wife would like to eat out because preparing dinner themselves is not easy. Her husband agrees with his wife.
3. Xiao Zhang wants to have a baby, but his wife disagrees because they are both very busy. She wants to have a child at the age of 30.

⛄ Listen and do the following exercises.

1. Choose the correct answer to the questions.

   (two people are discussing how to go to Beijing)

   (1) When will they go to Beijing?

zuótiān a. 昨天	jīntiān b. 今天
míngtiān c. 明天	hòutiān d. 后天

   (2) How long will it take to get to Beijing by train?

liù ge xiǎoshí a. 6个小时	jiǔ ge xiǎoshí b. 9个小时
shíliù ge xiǎoshí c. 16个小时	shíjiǔ ge xiǎoshí d. 19个小时

   (3) How will they go to Beijing?

zuò fēijī a. 坐飞机	zuò huǒchē b. 坐火车
zuò qìchē c. 坐汽车	bù zhīdào d. 不知道

2. Complete the following dialogue.

(two people are discussing where to spend their holiday)

Zhè cì wǒmen qù Hǎinán ba? Tīngshuō nàr hěn piàoliang.
A：这次我们去海南吧？听说那儿很漂亮。

Wǒ _____ xiàtiān tài rè le.
B：我_____，夏天太热了。

Nà qù Dàlián
A：那去大连_____？

Dàlián xiàtiān hěn shūfu.
B：_____。大连夏天很舒服。

Nà hǎo ba.
A：那好吧。

Reading.

You see a message in a chat room on the internet.

Notes:

tíyì 提议	suggest	Cháng Jiāng 长江	the Yangtze River
Zhōuliù 周六	Saturday	gēn tiě 跟帖	reply to web-posts
yèyóu 夜游	travel at night	chūfā 出发	set out

How would you like to reply if you agree/disagree with one of the ideas?

Cultural tips

In China, if you want to employ a good domestic worker, the best choice is to get some help from one of the big qualified agencies. Additionally, you should carefully check the documents that domestic workers provide, such as their professional qualification and health report.

There are different kinds of domestic workers in China. One of them is a full-time domestic worker, who lives with you, and you should offer them free food and accommodations and pay them monthly. The other one is the hourly-paid domestic worker whose salary is counted by hours. Employing this kind of domestic worker, you don't need to provide him/her with food and accommodations. However, if they work at lunch or dinner time, people often offer them a free meal. Moreover, there are some other special services, such as delivery, home nursing for patients and house cleaning, and these services are paid differently from domestic workers.

Character writing

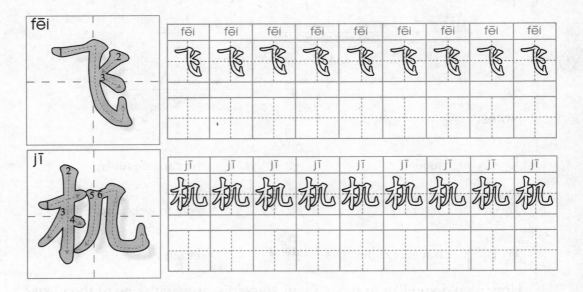

tiě	tiě	tiě	tiě	tiě	tiě	tiě	tiě	tiě
铁	铁	铁	铁	铁	铁	铁	铁	铁

lù	lù	lù	lù	lù	lù	lù	lù	lù
路	路	路	路	路	路	路	路	路

Chapter 19

No problem

- Show confidence and lack of confidence
- Say   没问题 méi wèntí
         难说 nánshuō

New words and expressions

cái 才	only	wǎngqiú 网球	tennis
zhǔbǎn 主板	mother board (a mobile phone or computor part)	chǎngdì 场地	field
qǔ 取	fetch	nánshuō 难说	it is difficult to say
chū chāi 出 差	on a business trip	dìng 订	order
Wǔtáishān 五台山	Wutaishan	mǎn 满	full
tǐyùguǎn 体育馆	gymnasium		

Dialogue

1 *David (D) asks the staff (S) to repair a mobile phone at a mobile phone shop.*

Nǐ hǎo,　xiǎojiě.
D: 你 好 ， 小 姐 。

Shénme shìr?
S: 什 么 事 儿 ？

(ná chū shǒujī hé fāpiào) Wǒ de shǒujī cái mǎi le liǎng ge
D: (拿 出 手 机 和 发 票) 我 的 手 机 才 买 了 两 个
yuè jiù huài le,　qǐng nǐ bāng wǒ kàn yíxià,　hǎo ma?
月 就 坏 了 ， 请 你 帮 我 看 一 下 ， 好 吗 ？

Hǎode,　qǐng shāo děng.
S: 好 的 ， 请 稍 等 。

(shíwǔ fēnzhōng hòu)
（十 五 分 钟 后）

Zhǔbǎn huài le,　nǐ xiān bǎ shǒujī fàng
S: 主 板 坏 了 ， 你 先 把 手 机 放
zài zhèr ba,　míngtiān lái qǔ.
在 这 儿 吧 ， 明 天 来 取 。

Míngtiān yídìng yào xiū hǎo a,　wǒ
D: 明 天 一 定 要 修 好 啊 ， 我
hòutiān yào chū chāi.
后 天 要 出 差 。

Méi wèntí.
S: 没 问 题 。

Xièxie!
D: 谢 谢 ！

D: Hello, Miss.
S: Can I help you?
D: (taking out the cell phone and the bill) My mobile phone is out of order after only two months. Can you please have a look at it?
S: OK, please wait for a moment.
　(15 minutes later)
S: The mother board is damaged. Leave your mobile phone here and come to collect it tomorrow.
D: Can you make sure it's going to be ready tomorrow? I have to go away on business the day after tomorrow.
S: No problem.
D: Thank you!

2 *Amy (A) calls the gymnasium (G) to ask if there are any tennis courts available.*

Nǐ hǎo, qǐngwèn shì Wǔtáishān Tǐyùguǎn ma?
A: 你好，请问是五台山体育馆吗？

Shìde.
G: 是的。

Xīngqīliù xiàwǔ wǔ diǎn dào liù diǎn de
A: 星期六下午五点 到六点的
wǎngqiú chǎngdì hái yǒu ma?
网球 场地 还有吗？

Nánshuō, wǒ xiān kànkan.
G: 难说，我先看看。

(liǎng fēnzhōng hòu) Duìbuqǐ, yǐjīng dìngmǎn le.
（两 分钟 后）对不起，已经 订满了。

Nà Xīngqītiān ne?
A: 那星期天呢？

Háishi tóngyàng de shíjiān ma?
G: 还是同样 的时间吗？

Shì.
A: 是。

Zhǐyǒu wǔ hào chǎngdì shì kōng de,
G: 只有 5号 场地 是空 的，
nǐ dìng ma?
你订吗？

Hǎode.
A: 好的。

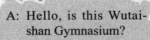

A: Hello, is this Wutai-shan Gymnasium?
G: Yes, it is.
A: Is there any tennis courts available on Saturday afternoon from 5 to 6?
G: It is difficult to say. Let me have a look. (2 minutes later) Sorry, all of them have already been booked.
A: How about Sunday?
G: Still the same time?
A: Yes.
G: Only Court 5 is available. Would you like to book it?
A: Yes, please.

Language notes

"Verb＋满(mǎn)" indicates full stretch of an act.

      Duìbuqǐ,   yǐjīng dìng mǎn le.

e.g. 1. 对 不 起 ， 已 经 订 满 了 。
Sorry, all the rooms have been booked.

      Bàngōngshì lǐ zuǒ mǎn le rén.

    2. 办 公 室 里 坐 满 了 人 。
The office is full of people.

      Bēizi lǐ méi dào mǎn shuǐ.

    3. 杯 子 里 没 倒 满 水 。
The bottle is half empty.

"才(cái) + Verb" is used to indicate a short time after an action took place.

      Wǒ de shǒujī cái mǎi le liǎng ge yuè jiù huài le.

e.g. 1. 我 的 手 机 才 买 了 两 个 月 就 坏 了 。
My mobile phone is out of order after only two months.

      Tā cái dào jiā diànhuà jiù xiǎng le.

    2. 他 才 到 家 电 话 就 响 了 。
The telephone rang just as he was coming into the house.

Useful words and expressions

remember	jìde 记 得		disk	diē 碟
worry	jí 急		pirated	dàobǎn 盗 版
chase	zhuī 追		original	zhēngbǎn 正 版
bowling	bǎolíngqiú 保 龄 球		ticket office	dìng piào chù 订 票 处
match	bǐsài 比 赛		city centre	shì zhōngxīn 市 中 心

rent	zūjīn 租金	I am sure	wǒ gǎn shuō / kěndìng 我 敢 说 / 肯定	
Labour Day	Láodòng Jié 劳 动 节	be/not certain	yǒu / méi bǎwǒ 有 / 没 把 握	
National Day	Guóqìng Jié 国 庆 节	can(not) guarantee	(bù) gǎn bǎozhèng/(bù) gǎn shuō (不) 敢 保 证 /(不) 敢 说	
out of question	bù chéng wèntí 不 成 问 题	difficult to say	bù hǎo shuō/shuō bu zhǔn 不 好 说 / 说 不 准	

Tasks

Complete the following short dialogues.

1. **In the street**

Dàwěi, nǐ gǎn kěndìng Wáng Níng jiā zài zhèr ma?
A: 大卫，你敢肯定 王 宁 家 在 这儿 吗？

jiù zài zhè fùjìn.
B: _____ 就 在 这 附近 。

Nǐ měi cì dōu zhème shuō, měi cì dōu cuò.
A: 你 每 次 都 这么 说 ， 每 次 都 错 。

Zhè cì bú huì cuò le .
B: 这 次 _____ 不 会 错 了 。

2. **At the pottery market**

Zhèlǐ de chájù shì zhēn de ma?
A: 这里 的 茶具 是 真 的 吗 ？

B: _____ 。

Nà wǒmen qù nǎr mǎi?
A: 那 我 们 去 哪儿 买 ？

Bié jí, wǒ huì dài nǐ qù ge yòu hǎo yòu piányi de dìfang.
B: 别 急 ， 我 _____ 会 带 你 去 个 又 好 又 便 宜 的 地 方 。

What do you say?

1. You tell your Chinese friend that you have confidence to date the

178

Chinese girl you all like very much.

2. It is very difficult to find a job in your own country. You tell your friend that you are not sure if you can find a job or not when you return to your country.

3. You are good at bowling, and you tell your mates that you have confidence to win this game.

4. Tomorrow you will have an interview in a big company, but you tell your roommate that you don't have enough confidence.

Create conversations according to the following situations.

1. David is buying a CD at a CD shop. He is worried that the CD may be pirated and asks the shopkeeper. The shopkeeper tells him not to worry, and guarantees that all the CDs in his shop are original.

2. Baker tells his friend that he plans to go to Xi'an on a tour during the Spring Festival. His friend suggests that he buy the train ticket now, but Baker isn't worry about the ticket, because he has a friend working at the ticket office and is sure he can get a ticket.

3. Amy wants to rent a cheap flat in the centre of the city, and asks a friend to help her. Her friend tells her that all the flats in the centre of the city are expensive, and he is not sure that he can find a cheaper one for her.

Listen and do the following exercises.

1. Complete the following dialogue.

(at a digital camera repair shop)

Nǐ hǎo, wǒ de shùmǎ xiàngjī cái mǎi le liǎng ge yuè jiù huài le.
A: 你好，我的数码相机才买了两个月就坏了。

Wǒ kànkan.
B: 我看看。

Zěnmeyàng, xiū hǎo ma?
A: 怎么样，_____修好吗？

jǐ fēnzhōng jiù hǎo, qǐng
B: _____，几分钟就好，请_____。

Xiū hǎo le, nǐ kàn yíxià.
B: 修好了，你看一下。

Tài hǎo le, xièxie nǐ!
A: 太好了，谢谢你！

179

2. **Choose the correct answer to the questions.**

   (in the office)

   (1) What are they talking about?

   a. dìng chǎngdì
      订 场 地

   b. dìng fángjiān
      订 房 间

   c. dìng piào
      订 票

   d. dìng fàndiàn
      订 饭 店

   (2) Why does he think that he cannot book a room?

   a. xiànzài shì Chūn Jié
      现 在 是 春 节

   b. xiànzài shì Shèngdàn Jié
      现 在 是 圣 诞 节

   c. xiànzài shì Láodòng Jié
      现 在 是 劳 动 节

   d. xiànzài shì Guóqìng Jié
      现 在 是 国 庆 节

😊 Reading.

miànshì
面试 (interview)

Yí ge dà gōngsī zhǔnbèi huā hěn duō qián qǐng yí ge sījī,
一 个 大 公 司 准 备 花 很 多 钱 请 一 个 司 机 (driver)，
jīngguò jǐ cì kǎoshì hòu, zhǐ shèng xià sān ge kāi de
经 过 (after)几 次 考 试 (exam)后 ，只 剩 下 (left)三 个 开 (drive)得
zuì hǎo de sījī. Zhǔkǎoguān wèn tāmen: "xuányá
最 好 的 司 机 。 主 考 官 (main examiner)问 他 们 ： " 悬 崖 (cliff)
biān yǒu kuài jīnzi, nǐmen kāi zhe chē qù ná, juéde lí xuányá
边 有 块 金 子 (gold)， 你 们 开 着 车 去 拿 ， 觉 得 离 悬 崖
duō jìn bū huì diào xiàqu ne?" "Liǎng mǐ." Dì yī
多 近 (near)不 会 掉 (fall off)下 去 呢 ？ " " 两 米 (metre)。 " 第 一
ge rén shuō. "Yì mǐ." Dì èr ge rén hěn yǒu bǎwò de shuō. Dì sān
个 人 说 。 " 一 米 。 " 第 二 个 人 很 有 把 握 地 说 。 第 三
ge rén què shuō: "wǒ huì lí xuányá yuèyuǎnyuè hǎo." Jiéguǒ zhè jiā
个 人 却 (but)说 ： " 我 会 离 悬 崖 越 远 越 好 。 " 结 果 这 家
gōngsī lùqǔ le dì sān ge rén.
公 司 录 取 (accept)了 第 三 个 人 。

Answer the question according to the passage.

Why does this company accept the third person?

Cultural tips

Pottery making is one of the most ancient arts in China. It already has more than 10 thousand years of history. A long time ago, there was Red Pottery, Grey Pottery, Coloured Pottery, White Pottery, Black Pottery, Polychrome Pottery, Glazed Pottery etc. One of the well-known products is made of purple sand produced in Yixing, Jiangsu province. It is always appreciated by people who love drinking tea. Therefore, Yixing is often called the Capital of Pottery. It is said that the tea made in a purple sand teapot will not be spoiled for two days, and the more frequently a purple sand teapot is used, the more fragrant the tea will be.

Character writing

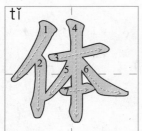

tǐ	tǐ	tǐ	tǐ	tǐ	tǐ	tǐ	tǐ	tǐ
体	体	体	体	体	体	体	体	体

yù	yù	yù	yù	yù	yù	yù	yù	yù
育	育	育	育	育	育	育	育	育

guǎn	guǎn	guǎn	guǎn	guǎn	guǎn	guǎn	guǎn	guǎn
馆	馆	馆	馆	馆	馆	馆	馆	馆

Chapter 20

Please tell her

Learn to

○ Leave or pass on a message to someone

○ Say 我让白云转告你 wǒ ràng Bái Yún zhuǎngào nǐ
她让我替她请一天假 tā ràng wǒ tì tā qǐng yì tiān jià
请你告诉她一下 qǐng nǐ gàosu tā yíxià

New words and expressions

fūmǔ 父 母	parents		péngyou 朋 友	friend
tūrán 突 然	suddenly		hūnlǐ 婚 礼	wedding
Nánjīng 南 京	Nanjing (name of a city)		qǐng jià 请 假	ask for leave
tiānqì yùbào 天 气 预 报	weather forecast		nèiróng 内 容	content
shàng bān 上 班	go to work			

Dialogue

1 *Wang Ning (W) telephones David (D) at the gate of Nanjing Museum.*

Wèi, Dàwèi, nǐ zěnme hái méi dào? Dōu shí diǎn le.
W: 喂，大卫，你怎么还没到？都十点了。

Nǐ shuō shénme? Nǐ zài nǎr?
D: 你说 什么？你在哪儿？

Wǒ zài bówùguǎn ménkǒu.
W: 我在博物馆 门口。

Á? Zuótiān wǒ ràng Bái Yún zhuǎngào nǐ, wǒ fùmǔ tūrán lái
D: 啊？昨天我让白云 转告 你，我父母突然来

Nánjīng le, bù néng hé nǐ qù
南京了，不能和你去

bówùguǎn le. Tā méi gàosu nǐ ma?
博物馆了。她没告诉你吗？

Zhège Bái Yún! Tā yídìng wàng le.
W: 这个白云！她一定忘了。

Zhēn bù hǎoyìsi.
D: 真 不好意思。

Méi guānxi, wǒ jiù yí ge rén jìnqu
W: 没关系，我就一个人进去

kànkan ba.
看看 吧。

Tiānqì yùbào shuō
D: 天气预报说

xiàwǔ yǒu yǔ,
下午有雨，

nǐ háishi zǎo diǎnr
你还是早点儿

huí jiā ba.
回家吧。

南京博物馆

W: Hello, David. Are you coming? It's ten o'clock already!

D: What did you say? Where are you?

W: I'm at the Museum gate.

D: What? I asked Bai Yun to tell you yesterday that I couldn't come with you to visit the Museum today because my parents had arrived in Nanjing unexpectedly. Didn't she pass on the message to you?

W: That Bai Yun! She must have forgotten it.

D: I'm sorry about it.

W: That's all right. I'll take a look by myself then.

D: The weather forecast says it's going to rain in the afternoon. You'd better go home early.

② *The manager (M) asks Amy's colleagues (C1,C2) why Amy is not in today.*

Àimǐ jīntiān zěnme méi lái shàng bān?
M: 艾米今天怎么没来上班？

Tīngshuō tā jīntiān jié hūn.
C1: 听说 她今天结婚。

Zhēn de ma?
M: 真的吗？

Jīnglǐ, bú shì de. Àimǐ jīntiān qù cānjiā
C2: 经理，不是的。艾米今天去参加

péngyou de hūnlǐ,   tā ràng wǒ tì tā qǐng yì tiān jià.
朋友 的婚礼，她让 我替她请一天假。

Ò
M: 哦。

Jīntiān Àimǐ de gōngzuò wǒ lái bāng tā zuò, hǎo ma?
C2: 今天艾米的工作 我来帮 她做，好吗？

Hǎode.   Jīntiān huìyì de nèiróng
M: 好的。今天会议的内容

qǐng nǐ gàosu tā yíxià.
请 你告诉她一下。

Méi wèntí.
C2: 没问题。

M: Why isn't Amy in today?
C1: I heard she is going to get married today.
M: Really?
C2: No, Sir, Amy is going to attend her friend's wedding ceremony. She told me to ask for one day's leave for her.
M: Oh.
C2: Can I do Amy's work today?
M: OK. Please give her a summery of today's meeting.
C2: No problem.

Language notes

"Subject(A) + Verb1 (请[qǐng]/让[ràng]/叫[jiào]) + Somebody(B) + Verb2 + Object" is used to indicate A wants B to do something.

e.g.

Tā ràng wǒ tì tā qǐng yì tiān jià.
1. 她让我替她请一天假。
She told me to ask for one day's leave for her.

Lǎoshī jiào dàjiā huídá wèntí.
2. 老师叫大家回答问题。
The teacher asks us to answer the question.

Àimǐ qǐng Zhōngguó lǎoshī jiāo Jīngjù.
3. 艾米请中国老师教京剧。
Amy invited a Chinese teacher to teach her Peking Opera.

"这个(zhège) + People's Name" is usually used to express speaker's dissatisfaction or complaint.

e.g.

Zhège Bái Yún! Tā yídìng wàng le.
1. 这个白云！她一定忘了。
That Bai Yun! She must have forgotten it.

Zhège Wáng Níng! Yòu chídào le.
2. 这个王宁！又迟到了。
That Wang Ning! He is late again.

Useful words and expressions

Christmas party	Shèngdàn wǎnhuì 圣诞晚会	notice	tōngzhī 通知
Labour Day	Láodòng Jié 劳动节	Mapo bean curd (a Chinese dish)	mápó dòufu 麻婆豆腐
have a holiday	fàng jià 放假	sunny day	qíng tiān 晴天
proper	zhèngcháng 正常	the Central Department Store	Zhōngyāng Shāngchǎng 中央商场

two for one	mǎi yī zèng yī 买 一 赠 一	someone tells me	yǒu rén gàosu wǒ 有 人 告 诉 我
ask, tell	jiào 叫	someone says	yǒu rén shuō 有 人 说
hear somthing from	tīng … shuō 听······说	please tell him/her	qǐng nǐ zhuǎngào tā / tā 请 你 转 告 他 / 她
the notice says	tōngzhī shang shuō 通 知 上 说	say hello to him/her for me	tì wǒ xiàng tā / tā wèn hǎo 替 我 向 他 / 她 问 好
the advertise-ment says	guǎnggào shang shuō 广 告 上 说		

Tasks

Complete the following short dialogues.

1. In the company

A:
Jīnglǐ, Dàwèi jīntiān qù yīyuàn kàn bìng le,
经 理， 大 卫 今 天 去 医 院 看 病 了，
tā   wǒ   tā qǐng yì tiān jiǎ.
他 ____ 我 ____ 他 请 一 天 假。

B:
Shénme bìng?
什 么 病？

A:
Yǒu diǎnr gǎnmào.
有 点 儿 感 冒。

B:
Qǐng nǐ   tā, jiào tā hǎohāo xiūxi.
请 你 ____ 他， 叫 他 好 好 休 息。

A:
Xièxie.
谢 谢。

2. In the restaurant

A:
Bái Yún gěi nǐ fā le yì fēng e-mail, shì ma?
_____ 白 云 给 你 发 了 一 封 e-mail，是 吗？

B:
Duì.
对。

A:
Xìn li shuō le shénme?
信 里 说 了 什 么？

B:
tā zài Yīngguó tǐng hǎo de.
_____ 她 在 英 国 挺 好 的。

Nǐ gěi tā huí xìn de shíhou,　　tì wǒ

A：你 给 她 回 信 的 时 候，替 我 _____。

Méi wèntí.

B：没 问 题。

Look and say.

Use expressions such as

tōngzhī shang shuō　　tiānqì yùbào shuō　　guǎnggào shang shuō

通 知 上 说　　天 气 预 报 说　　广 告 上 说

通 知

今年"五一劳动节"放假7天（5月1日—5月7日），5月8日正常上班。

办公室

2006年4月16日

What do you say?

1. The place for the Christmas party has been changed. You ask David to tell other colleagues about it.

2. The manager asks you to tell Amy that he wants to see her. You pass on the message to Amy when you see her at lunch time.

Create conversations according to the following situations.

1. Amy and Bai Yun agreed to attend Zhang Na's birthday party together, but now Bai Yun cannot go, for she is not well. She asks Amy to tell Zhang Na the reason for her absence.

2. David and Wang Ning are in a Chinese restaurant. Wang Ning wants to order Mapo bean curd, but David does not want it because he has heard that the dish is very hot.

3. Amy heard that there was a two-for-one sale at the Central Department Store, and she decided to go with her friend Bai Yun

on Sunday. Amy called Bai Yun, but she was not in. Amy asked her
housemate to pass on the message to Bai Yun.

Listen and do the following exercises.

1. Complete the following dialogue.

   (in the office)

   Nǐ qù nǎr le?　Zěnme xiànzài cái lái?
   A：你 去 哪 儿 了 ？ 怎 么 现 在 才 来 ？

   　　　　　　　chē huài le.
   B：_____ ，车 坏 了 。

   Nǐmen dàshǐguǎn dǎ diànhuà zhǎo nǐ.
   A：你 们 大 使 馆 打 电 话 找 你 。

   Shénme shìr?
   B：什 么 事 儿 ？

   Bù zhīdào,　tāmen　　　　　　huí ge diànhuà.
   B：不 知 道 ， 他 们 _____ 回 个 电 话 。

   Hǎo,　wǒ mǎshàng dǎ.　Xièxie.
   A：好 ， 我 马 上 打 。 谢 谢 。

2. Answer the following questions.

   (in the lift)

   (1) Why did Amy ask for leave last week?

   (2) Why does the man want to see the Chinese wedding?

Reading.

tā shuō tā bù zài
他 说 他 不 在

Diànhuà xiǎng　　　le,　　mìshū　　　　　Hǎilún　　　jiē le diànhuà:
电 话 响 (ring) 了 ， 秘 书 (secretary) 海 伦 (Helen) 接 了 电 话

"　wèi,　　nín hǎo!　Qǐngwèn nín zhǎo shuí?"
(answer the telephone)：" 喂 ， 您 好 ！ 请 问 您 找 谁 ？ "

"Wǒ zhǎo　zǒngjīnglǐ."
" 我 找 总 经 理 (general manager)。 "

"Qǐngwèn,　nín shì nǎ wèi?"
" 请 问 ， 您 是 哪 位 ？ "

"Wǒ shì tā de　tàitai."
" 我 是 他 的 太 太 。 "

189

"Qǐng nín shāo děng,　wǒ tì nín zhuǎngào yíxià."
"请 您 稍 等 ， 我 替 您 转 告 一 下 。"

Hǎilún zǒu jìn zǒngjīnglǐ bàngōngshì,　shuō:　"zǒngjīnglǐ,　nín
海 伦 走 进 总 经 理 办 公 室 ， 说 ： "总 经 理 ， 您

tàitai de diànhuà."
太 太 的 电 话 。"

Zǒngjīnglǐ shuō:　"shuō wǒ bú zài,　bù néng jiē diànhuà."
总 经 理 说 ： "说 我 不 在 ， 不 能 接 电 话 。"

Hǎilún zǒu chū bàngōngshì,　ná qǐ diànhuà duì zǒngjīnglǐ de tàitai
海 伦 走 出 办 公 室 ， 拿 起 电 话 对 总 经 理 的 太 太

shuō:　"zǒngjīnglǐ shuō tā bú zài,　bù néng jiē diànhuà."
说 ： "总 经 理 说 他 不 在 ， 不 能 接 电 话 。"

Answer the questions according to the short passage.

What do you think of Helen, is she clever or slow-witted? Why?

Cultural tips

Marriage is one of the most important things in one's life. Traditionally, the wedding ceremony in China lasts for a day, but sometimes can even extend to three or four days. In ancient times, the bridegroom would go to the bride's house and take her by sedan chair, but now usually by car. The wedding banquet is the most important part of the celebration. Traditionally, the new couple invite all their relatives and friends to the wedding banquet. To attend other people's wedding banquet is called "吃喜酒(chī xǐjiǔ)". Candies distributed to guests are called "喜糖(xǐtáng)". The wedding ceremony in China is changing nowadays. Some people go to a church, some people have their wedding on a tour, and some choose to participate in a collective wedding ceremony. If your Chinese friend invites you to his/her wedding ceremony, do not forget to bring a "红包(hóng-bāo, a red envelope with money in it) or a gift to show your best wishes.

Character writing

tiān	tiān	tiān	tiān	tiān	tiān	tiān	tiān	tiān
天	天	天	天	天	天	天	天	天

qì	qì	qì	qì	qì	qì	qì	qì	qì
气	气	气	气	气	气	气	气	气

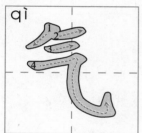

yù	yù	yù	yù	yù	yù	yù	yù	yù
预	预	预	预	预	预	预	预	预

bào	bào	bào	bào	bào	bào	bào	bào	bào
报	报	报	报	报	报	报	报	报

jīng	jīng	jīng	jīng	jīng	jīng	jīng	jīng	jīng
经	经	经	经	经	经	经	经	经

lǐ	lǐ	lǐ	lǐ	lǐ	lǐ	lǐ	lǐ	lǐ
理	理	理	理	理	理	理	理	理

Chapter 21

I'm afraid he hasn't got time

Learn to ⓒ

- Make an estimation, inference or guess

- Say 恐怕 kǒngpà

  大概 dàgài

  看样子 kànyàngzi

  我看 wǒ kàn

New words and expressions

cì 次	a measure word for train numbers	kànyàngzi 看样子	seem
kǒngpà 恐怕	I'm afraid (that)	jīngshen 精神	in good spirit
dàgài 大概	maybe, perhaps	yuē 约	date someone
duō chǎng shíjiān 多长时间	how long	gāo'ěrfū 高尔夫	golf
dìtiě 地铁	underground train	Xiānggǎng 香港	Hong Kong
chūkǒu 出口	exit		

Dialogue

1 *David (D) talks to the desk clerk (C) in the train ticket office.*

Nǐ hǎo, wǒ xiǎng dìng yì zhāng qù Běijīng de Z wǔ líng cì chēpiào.
D: 你好，我想 订 一 张 去北京的Z50 次 车票。

Hǎode. Qǐngwèn nín yào jǐ hào de?
C: 好的。请问 您要几号的？

Jiǔ yuè sānshí hào de.
D: 9月30 号 的。

Ò sānshí hào de xiànzài kǒngpà hěn nán dìng dào le.
C: 哦，30 号的现在 恐怕 很 难 订 到 了。

Nà zěnme bàn ne?
D: 那怎么办呢？

Zhèyàng ba, yàoshi méiyǒu, wǒ jiù bāng nín dìng yì zhāng
C: 这样 吧，要是 没有，我 就 帮 您 订 一 张

T liù liù cì de, nín kàn kěyǐ ma?
T66次的， 您 看 可以 吗？

T liù liù cì dào Běijīng dàgài yào duō cháng shíjiān ne?
D: T66次到北京大概要多 长 时间呢？

Shí ge duō xiǎoshí ba.
C: 十个多小时吧。

Xíng.
D: 行。

D: Hi, I want a ticket for the Z50 train to Beijing.
C: OK. On what date?
D: September 30th.
C: Oh, I'm afraid the tickets on September 30th are sold out.
D: What can I do then?
C: Well, as no Z50 ticket is available, would you like to take the T66 train?
D: How long does it take to arrive in Beijing?
C: More than ten hours.
D: OK.

② *Amy (A) talks to Wang Ning (W) in the office.*

Tīngshuō Dàwèi cóng Yīngguó
A: 听说 大卫 从 英国

huílai le?
回来 了？

Shì a, zuótiān wǒ zài dìtiě
W: 是 啊， 昨天 我 在 地铁

chūkǒu kànjiàn tā le.
出口 看见 他 了。

Tā hái hǎo ba?
A: 他 还 好 吧？

Kànyàngzi búcuò, tǐng jīngshen de.
W: 看样子 不错， 挺 精神 的。

Gǎitiān yuē tā yìqǐ qù dǎ gāo'ěrfū
A: 改天 约 他 一起 去 打 高尔夫

zěnmeyàng?
怎么样？

Wǒ kàn tā kǒngpà méi shíjiān.
W: 我 看 他 恐怕 没 时间。

Zěnme le?
A: 怎么 了？

Tīng tā shuō zhège zhōumò jiù yào qù
W: 听 他 说 这个 周末 就要 去

Xiānggǎng le.
香港 了。

A: Have you heard David has come back from Britain?
W: Yes, I met him at the exit of the underground yesterday.
A: How is he?
W: He looks well and in good spirit.
A: How about asking him to play golf one day?
W: I'm afraid he hasn't got time.
A: Why?
W: I heard him say he would go to Hong Kong this weekend.

Language notes

"看样子(kànyàngzi)" is often used at the beginning of a sentence indicating the speaker's estimation of something.

Dàwèi kànyàngzi búcuò, tǐng jīngshén de.
e.g. 1. 大卫 看样子 不错， 挺 精神 的。
David looks well and in good spirit.

Kànyàngzi   yào xià yǔ le.

2. 看 样 子 要 下 雨 了 。
It seems as though it's raining.

Yǐjīng   jiǔ diǎn le ,   kànyàngzi tā jīntiān bú huì lái le.

3. 已 经 九 点 了 ， 看 样 子 他 今 天 不 会 来 了 。
It's already nine o'clock. It seems that he will not come today.

"就要(jiù yào)……了(le)" is used to indicate that something is about to happen.

Tā shuō zhège   zhōumò jiù yào qù Xiānggǎng le.

e.g. 1. 他 说 这 个 周 末 就 要 去 香 港 了 。
He told me he was going to Hong Kong this weekend.

Fēijī   jiù yào qǐfēi   le.

2. 飞 机 就 要 起 飞 了 。
The plane is about to take off.

Dōngtiān jiù yào dào le.

3. 冬 天 就 要 到 了 。
Winter is coming soon.

Useful words and expressions

lie in	shuì lǎnjiào 睡懒觉	can't get on (the bus)	shàng bu liǎo/ 上 不 了/ shàng bu qù 上 不 去
tired	lèi 累		
coach	jiàoliàn 教练	at least	zhìshǎo 至少
lose	shū 输	have fever	fāshāo 发烧
hungry	è 饿	hospital	yīyuàn 医院
too small, tight	chuān bu xià 穿 不 下	body temperature	tǐwēn 体温
crowded	jǐ 挤	degree	dù 度

can't buy	*mǎi bu dào* 买 不 到	uncertain	*bù yídìng* 不 一 定
seem, sound	*kàn/tīng qǐlai* 看 / 听 起 来	I guess	*wǒ cāi ...* 我 猜……
seem, sound	*kàn/tīng shangqu* 看 / 听 上 去	I reckon	*wǒ gūjì ...* 我 估 计……
maybe	*kěnéng/ yěxǔ* 可 能 / 也 许	I think	*wǒ juéde ...* 我 觉 得……

Tasks

Complete the following short dialogues.

1. At the gate of a gym

   Zhège Dàwèi,   zěnme hái méi dào?
   A: 这 个 大 卫 ， 怎 么 还 没 到 ？
   yòu shuì lǎnjiào le.
   B: ＿＿＿＿＿＿＿＿又 睡 懒 觉 了 。
   Wǒmen xiān jìnqu ba,   tā hěn kuài jiù huì dào de.
   A: 我 们 先 进 去 吧 ， ＿＿＿＿＿＿＿他 很 快 就 会 到 的 。
   Hǎo ba.
   B: 好 吧 。

2. On the basketball court

   Nàge qī hào   hěn lèi.
   A: 那 个 7 号 ＿＿＿＿＿很 累 。
   Ng,   jiàoliàn yīnggāi huàn rén le.
   B: 嗯 ， 教 练 应 该 换 人 了 。
   tā yàoshi xiàlai le,   Zhōngguó duì kěndìng huì shū.
   A: ＿＿＿＿＿＿＿他 要 是 下 来 了 ， 中 国 队 肯 定 会 输 。
   Nà kě bù yídìng.
   B: 那 可 不 一 定 。

Look and say.

Use words and expressions such as

dàgài   kǒngpà   kànyàngzi /kàn qǐlai / kàn shangqu   wǒ kàn...
大 概   恐 怕   看 样 子 / 看 起 来 / 看 上 去   我 看……

What do you say?

1. You are going out with Bai Yun tomorrow. Bai Yun asks you to take an umbrella, but you reckon that it does not seem likely to rain tomorrow.

2. Somebody called your husband. You received the phone-call and told him your husband had gone to play golf. You said he might return in two hours' time.

3. Your housemaid has got a fever and you think she should be sent to hospital immediately because her temperature is over 39 degrees.

4. You want to see a film, but you are afraid you may not be able to get a ticket because there are many people in front of you in the queue.

Listen and do the following exercises.

1. Decide whether the following statements are true or false according to the dialogue.

   (in a store, a woman buys children clothes for her friends)

   (1) The customer wants to buy a coat for her friend.　　( )
   (2) The shop assistant suggested that she buy a red coat.　( )

2. Complete the following dialogue.

   (David and Bai Yun are talking about Wang Ning)

   Wáng Níng jīntiān zěnme le?
   A: 王　宁今天怎么了？

   yǒudiǎnr　bù gāoxìng.
   B: ＿＿＿＿＿＿＿有点儿不高兴。

   Wǒmen zhōngwǔ dǎ ge diànhuà wènwen tā zěnmeyàng?
   A: 我们　中午　打个电话　问问他怎么样？

   Bié wèn le,　wǒ kàn tā　　　　　　　bú huì shuō de.
   B: 别问了，我看他＿＿＿＿＿＿不会　说的。

🐧 Reading.

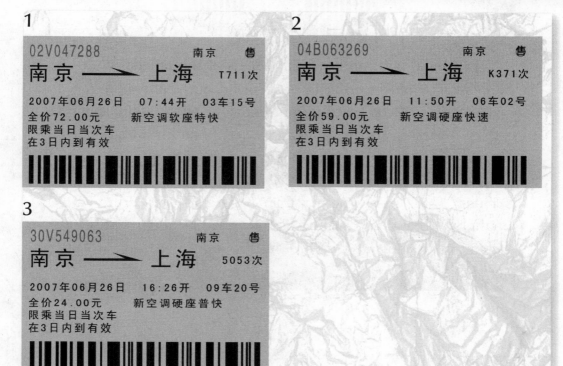

1

02V047288   南京   售

南京 ⟶ 上海   T711次

2007年06月26日   07：44开   03车15号

全价72.00元   新空调软座特快

限乘当日当次车

在3日内到有效

2

04B063269   南京   售

南京 ⟶ 上海   K371次

2007年06月26日   11：50开   06车02号

全价59.00元   新空调硬座快速

限乘当日当次车

在3日内到有效

3

30V549063   南京   售

南京 ⟶ 上海   5053次

2007年06月26日   16：26开   09车20号

全价24.00元   新空调硬座普快

限乘当日当次车

在3日内到有效

Notes:

quán jià		yìngzuò	
全 价	full price	硬 座	hard-seat
kōngtiáo		zài ... nèi	
空 调	air conditioner	在……内	including
ruǎnzuò			
软 座	soft-seat		

Choose the correct answer to the questions according to the information given on the tickets.

1. If you want to start out at noon, which train is most suitable for you?
   a. T711   b. K371   c. 5053

2. If you want to be comfortable during the trip, which train is most suitable for you?
   a. T711   b. K371   c. 5053

3. If you want a cheaper price, which train is most suitable for you?
   a. T711   b. K371   c. 5053

Cultural tips

In China, you can buy train tickets at the railway stations, at local ticket offices or at travel agencies, but you need to pay a service charge if you buy a ticket through an agency. Alphabetical letters and numbers on tickets are used to indicate train types, for example, "Z" means "fast train with limited stops", "T" means "express train", "K" means "normal fast train". Four digital numbers such as "1461" mean "normal train". There are soft-berth、hard-berth、soft-seat、hard-seat accomodations on trains, and prices for soft-berth and soft-seats are much more expensive than hard ones.

Character writing

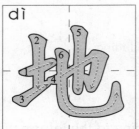

dì	dì	dì	dì	dì	dì	dì	dì	dì
地	地	地	地	地	地	地	地	地

tiě	tiě	tiě	tiě	tiě	tiě	tiě	tiě	tiě
铁	铁	铁	铁	铁	铁	铁	铁	铁

chū

chū	chū	chū	chū	chū	chū	chū	chū	chū
出	出	出	出	出	出	出	出	出

kǒu

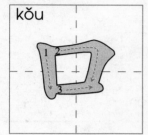

kǒu	kǒu	kǒu	kǒu	kǒu	kǒu	kǒu	kǒu	kǒu
口	口	口	口	口	口	口	口	口

Chapter 22

That's not correct

Learn to

- Correct someone's mistake in speech

- Say 说错了 shuō cuò le
  不是……是…… bú shì … shì …
  不像你想的那么…… bú xiàng nǐ xiǎng de nàme …

New words and expressions

xióngmāo 熊猫	panda		kǔ 苦	bitter	
kě'ài 可爱	lovely		xiàng 像	like, as	
xiǎoshíhou 小时候	when it's a baby		fāngfǎ 方法	way	
nǎr ya 哪儿呀	not at all		zhēnjiǔ 针灸	acupuncture	
lìngwài 另外	another		téng 疼	pain, sore	
dòngwù 动物	animal		pà 怕	be afraid of	
yǐqián 以前	before		kē 科	department	
zhōngyào 中药	Chinese traditional medicine				

Dialogue

1 *David (D) and Wang Ning (W) are at the zoo.*

Wáng Níng, nǐ kàn, nà liǎng zhī xiǎoxióngmāo duō kě'ài!
D: 王 宁，你 看，那 两 只 小熊猫 多 可爱！

Nǐ shuō cuò le, nà bú shì xiǎoxióngmāo, shì dàxióngmāo.
W: 你 说 错 了，那 不 是 小熊猫， 是 大熊猫。

Dàxióngmāo xiǎoshíhou bú jiào xiǎoxióngmāo ma?
D: 大熊猫 小时候 不 叫 小熊猫 吗？

Nǎr ya! Xiǎoxióngmāo shì lìngwài yì zhǒng dòngwù.
W: 哪儿 呀！ 小熊猫 是 另外 一 种 动物。

Zhēn de ma? Wǒ shì dì yī cì tīngshuō.
D: 真 的 吗？我 是 第一次 听说。

Hěn duō wàiguó rén dōu bù zhīdào.
W: 很 多外国 人 都 不 知道。

Nà xiǎoxióngmāo shénme yàng?
D: 那 小熊猫 什么 样？

Wǒmen qù kànkan jiù zhīdào le.
W: 我们 去 看看 就 知道 了。

D: Look, Wang Ning! How lovely the two xiǎoxióngmāo are.

W: That's not correct. They're not xiǎoxióngmāo. They're baby giant pandas.

D: A baby giant panda is called a xiǎoxióng māo, isn't it?

W: No, not at all. Xiǎoxióngmāo is another kind of animal.

D: Really? This is the first time I've heard that.

W: Many overseas people don't know this.

D: What does xiǎoxióngmāo look like?

W: Let's go, and see one, then you'll know.

2 *Amy (A) goes to see a doctor (D) at the Chinese traditional medical hospital.*

Yǐqián chīguo zhōngyào ma?
D: 以前吃过 中药 吗？

Méiyǒu. Wǒ tīngshuō zhōngyào hěn kǔ.
A: 没有。我听说 中药 很苦。

Bié dānxīn, bú xiàng nǐ xiǎng de nàme kǔ.
D: 别担心，不像你想的那么苦。

Hái yǒu bié de fāngfǎ ma?
A: 还有别的方法吗？

Nà jiù zhēnjiǔ ba. Búguò zhēnjiǔ
D: 那就针灸吧。不过针灸

yǒudiǎnr téng.
有点儿疼。

Méi guānxi, wǒ bú pà téng.
A: 没关系，我不怕疼。

Nà nǐ xiān qù zhēnjiǔ kē kànkan ba.
D: 那你先去针灸科看看吧。

Zhēnjiǔ kē yě zài sān lóu ma?
A: 针灸科也在三楼吗？

Bù, zài sì lóu.
D: 不，在四楼。

D: Have you ever taken Chinese traditional medicine before?
A: No. I hear that it's very bitter.
D: Don't worry. It's not as bitter as you think.
A: Are there any other treatments?
D: Acupuncture also works, but it's a bit painful.
A: It doesn't matter. I am not afraid of pain.
D: Very well then, you may go to the acupuncture department first.
A: Is it on the second floor, too?
D: No. It's on the third floor.

Language notes

"Subject + 多(duō) + Adj. + 啊(a)" is used to express exclamations for happiness, love, dissatisfaction, loathing, etc.

Nà liǎng zhī xiǎoxióngmāo duō kě'ài!
e.g. 1. 那两只小熊猫多可爱！
How lovely the two baby pandas are!

Zhè fángjiān duō zāng a!
2. 这 房 间 多 脏 啊 !
What a dirty room!

Duō piāoliang a!
3. 多 漂 亮 啊 !
How pretty!

"哪儿呀(nǎr ya)" is used to correct what others have said. Here it has a negative implication.

Dàxióngmāo xiǎoshíhou bū jiào xiǎoxióngmāo ma?
e.g. 1. A: 大 熊 猫 小 时 候 不 叫 小 熊 猫 吗?
A baby giant panda is called a xiǎoxióngmāo, isn't it?

Nǎr ya! Xiǎoxióngmāo shì lìngwài yì zhǒng dòngwu.
B: 哪 儿 呀 ! 小 熊 猫 是 另 外 一 种 动 物。
Not at all. Xiǎoxióngmāo is another kind of animal.

Kuài diǎnr! Bū shì qī diǎn de fēijī ma?
2. A: 快 点 儿 ! 不 是 七 点 的 飞 机 吗?
Be quick! Our flight leaves at 7 o'clock, doesn't it?

Nǎr ya! Nǐ jì cuò le, shì jiǔ diǎn de.
B: 哪 儿 呀 ! 你 记 错 了 , 是 九 点 的。
Not at all. You are wrong. It leaves at 9 o'clock.

"哪儿呀(nǎr ya)" can be also used to reply politely to someone's compliment.

Nǐ Hànyǔ shuō de zhēn hǎo!
3. A: 你 汉 语 说 得 真 好 !
You speak Chinese very well!

Nǎr ya. Mǎmǎhūhū.
B: 哪 儿 呀 。马 马 虎 虎 。
Oh. Just so-so.

Nǐ ērzi duō cōngming a!
4. A: 你 儿 子 多 聪 明 啊 !
Your son is very clever.

Nǎr ya. Guòjiǎng guòjiǎng.
B: 哪 儿 呀 。过 奖 过 奖 。
Oh. You flatter him.

Useful words and expressions

recommend	tuījiàn 推荐	develop films	xǐ zhàopiān 洗照片
terrible	zāogāo 糟糕	not ... but	bú shì ... shì ... 不是……是……
rose	méigui 玫瑰	be..., instead of	shì ... bú shì ... 是……不是……
lily	bǎihé 百合	make a mistake	nòng cuò le 弄 错了
Cappuccino	Kǎbùqínuò 卡布奇诺	see... as...	bǎ ... kàn chéng 把……看 成
Mocha	Mōkǎ 摩卡	pronounce... as...	bǎ ... shuō chéng 把……说 成
hot	là 辣		

Tasks

Complete the following short dialogues.

1. In the office

Zhōumò wǒmen qù le nǐ tuījiàn de cāntīng,
A：周末 我们 去 了 你 推荐 的 餐厅，
bú xiàng nǐ shuō de   hǎo chī a!
不像 你 说 的 ＿＿＿＿＿＿好 吃 啊！

Shì gōngsī pángbiān nà jiā ma?
B：是 公司 旁边 那 家 吗？

          gōngsī duìmiàn de.
A：＿＿＿＿，＿＿＿＿公司 对面 的 。

Nǐ nòng   le.   Gōngsī pángbiān nà jiā hǎo chī.
B：你 弄＿＿＿＿＿了 。 公司 旁边 那 家 好 吃 。

2. On the bus

Shīfu, qǐngwèn zhè chē dào huǒchē zhàn ma?
A: 师傅，请问这车到火车站吗？

Bú dào.
B: 不到。

Zhè bú shì liùshíjiǔ lù ma?
A: 这不是 69 路吗？

Nǐ kàn_____ le ba. Zhè _____ liùshíqī lù, _____ liùshíjiǔ lù.
B: 你看_____了吧。这_____67 路，_____69 路。

Zāogāo, wǒ zhēn _____ liùshíjiǔ lù le.
A: 糟糕，我真_____69 路了。

What do you say?

1. You are going to buy your wife a rose, but the shop assistant gives you a lily. What would you say to the shop assistant?
2. Someone says you are from America, but you tell him that you are from the UK.
3. You tell your friend Sichuan food is not as hot as he was previously informed.

Create conversations according to the following situations.

1. David pronounces "学习(xuéxí)" as "休息(xiūxi)". His tutor corrects him.
2. Amy orders a Cappuccino in Starbucks, but the waiter gives her Mocha.
3. Helen was given the wrong photos at the photo shop.
4. Baker sent a post card to a Chinese friend, but the card was rejected because of the incomplete address. Baker called his friend to ask for the correct one.

Listen and do the following exercises.

1. Choose the correct answers to the questions.

(on the phone)

(1) What day is it today?

Xīngqīsì Xīngqīwǔ Xīngqīliù Xīngqīrì
a. 星期四 b. 星期五 c. 星期六 d. 星期日

(2) When is the stadium open on workdays?

    shàngwǔ liǎng diǎn   xiàwǔ liǎng diǎn

a. 上午 两点   b. 下午两点

    shàngwǔ jiǔ diǎn   xiàwǔ sān diǎn

c. 上午 九点   d. 下午三点

2.   Complete the following dialogue.

    (in the office)

        Zuótiān de yǎnchànghuì

A：昨天的演唱会＿＿＿＿＿＿＿＿＿？

                 dàjiā shuō de   hǎokàn.

B：＿＿＿＿＿大家说的＿＿＿＿＿好看。

    Zhēn de ma? Wǒ jīntiān wǎnshang yào qù kàn ne.

A：真的吗？我今天 晚上 要去看呢。

    Bié qù le.

B：别去了。

         wǒ xiǎng qù,   wǒ de nán péngyou yǐjīng mǎi le piào le.

A：＿＿＿＿＿我想去，＿＿＿＿＿我的男朋友已经买了票了。

Reading.

本站　博物馆

| 1路 | 火车站 | 美食一条街 | 体育馆 | 博物馆 | 上海路 | 长途汽车站 | 下站 上海路 00:00－24:00 |

| 3路 | 人民医院 | 家乐福超市 | 博物馆 | 体育馆 | 南京路 | 动物园 | 下站 体育馆 5:00－23:00 |

Notes:

chángtú qìchē zhàn 长途汽车站	long-distance bus stop	běn zhàn 本 站	this stop
Rénmín Yīyuàn 人民医院	The People's Hospital	xià zhàn 下 站	next stop
dòngwù yuán 动 物 园	zoo		

Answer the questions according to the sign at the bus stop.

1. Which bus will you take if you are going to the stadium from here?
2. How many stops are there between the railway station and the museum?

Cultural tips

Giant pandas can be called "大熊猫(dàxióngmāo)", or "熊猫(xióngmāo)" in Chinese. They live in the mountains and valleys of Sichuan, Qinghai, Shaanxi and Gansu Provinces. The forest region in western Sichuan is the home of more than 30 percent of the world's pandas. The Sichuan Giant Panda Sanctuary was recently named a World Heritage site by the United Nations. The giant panda is known worldwide as a rare animal of China and it has become a national treasure of the Chinese people. The 11st Asian Games held in Beijing had the giant panda as its mascot. The giant pandas also travel abroad as a symbol of friendship and peace.

熊猫
the giant panda

Character writing

dà	dà	dà	dà	dà	dà	dà	dà	dà
大	大	大	大	大	大	大	大	大

xióng	xióng	xióng	xióng	xióng	xióng	xióng	xióng	xióng
熊	熊	熊	熊	熊	熊	熊	熊	熊

māo	māo	māo	māo	māo	māo	māo	māo	māo
猫	猫	猫	猫	猫	猫	猫	猫	猫

zhēn	zhēn	zhēn	zhēn	zhēn	zhēn	zhēn	zhēn	zhēn
针	针	针	针	针	针	针	针	针

jiǔ	jiǔ	jiǔ	jiǔ	jiǔ	jiǔ	jiǔ	jiǔ	jiǔ
灸	灸	灸	灸	灸	灸	灸	灸	灸

kē	kē	kē	kē	kē	kē	kē	kē	kē
科	科	科	科	科	科	科	科	科

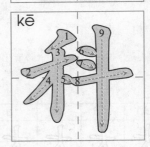

Chapter 23

Can I change it to next Friday?

Learn to

- Make a change

- Say 改成下个星期五 gǎi chéng xià ge Xīngqīwǔ
  原来……，现在…… yuánlái ..., xiànzài ...
  不去了 bú qù le

New words and expressions

bào míng 报 名	sign up		chū le shénme wèntí 出 了 什 么 问 题	what's wrong
Huáng Shān 黄 山	Mount Huangshan		zǒnggōngsī 总 公 司	head office
sān rì yóu 三 日 游	three-day tour		yuánlái 原 来	at first, originally
chūfā 出 发	set out		biàn 变	change
tuán 团	group		yáncháng 延 长	extend
dìngjīn 订 金	subscription		huíchéng jīpiào 回 程 机 票	return ticket
piàowù zhōngxīn 票 务 中 心	(airline) ticket office		fēi 飞	fly
jīpiào 机 票	flight ticket		císhàn wǎnhuì 慈 善 晚 会	charity evening party

Dialogue

1 *David (D) talks to the receptionist (R) at the travel agency.*

    Nín hǎo, qǐngwèn nín yǒu shénme shìr?
R: 您 好 ， 请 问 您 有 什么 事儿 ？

    Nín hǎo. Wǒ shàng ge xīngqī bào míng cānjiā le Huáng Shān
D: 您 好 。 我 上 个 星 期 报名 参 加 了 黄 山

    sān rì yóu, dànshì yǒu shìr qù bu liǎo, néng tuì tuán ma?
    三 日 游 ， 但是 有 事儿 去 不 了 ， 能 退 团 吗 ？

    Nín dìng de shì nǎ tiān chūfā de tuán?
R: 您 订 的 是 哪 天 出 发 的 团 ？

    Zhège Xīngqīwǔ.
D: 这 个 星 期 五 。

    Tíqián wǔ tiān tuì tuán kěyǐ tuì dìngjīn,
R: 提 前 五 天 退 团 可 以 退 订 金 ，

    xiànzài yǐjīng shì Xīngqī'èr le, dìngjīn
    现 在 已 经 是 星 期 二 了 ， 订 金

    bù néng tuì. Nín háishi gǎi ge shíjiān ba.
    不 能 退 。 您 还 是 改 个 时 间 吧 。

    Nà gǎi chéng xià ge Xīngqīwǔ, xíng ma?
D: 那 改 成 下 个 星 期 五 ， 行 吗 ？

    Kěyǐ. Hái yǒu bié de wèntí ma?
R: 可 以 。 还 有 别 的 问 题 吗 ？

    Méiyǒu le. Xièxie.
D: 没 有 了 。 谢 谢 。

R: Can I help you, sir?
D: I signed up for the three-day tour to Mount Huangshan last week, but I can't go now, as I have some business to do. Can I cancel the tour?
R: Which tour did you sign up for and what is your departure day?
D: This Friday.
R: The registration fee can be refunded up to five days before the departure. It's already Tuesday, so I don't think you can get your refund. Would you like to change the departure time?
D: Well, can I change it to next Friday?
R: Yes. Is there anything else I can do for you?
D: No. Thank you.

2 *The manager (M) asks Bai Yun (B) to change an airline ticket.*

Bái Yún, jīntiān bāng wǒ qù piàowù
M: 白云，今天帮我去票务
zhōngxīn huàn yíxià jīpiào.
中心换一下机票。

Shì xià Xīngqīsān qù Běijīng de jīpiào
B: 是下星期三去北京的机票
ma? Chū le shénme wèntí?
吗？出了什么问题？

Zǒnggōngsī yuánlái dǎsuàn zài Běijīng
M: 总公司原来打算在北京
kāihuì, xiànzài gǎi chéng Xiānggǎng le.
开会，现在改成香港了。

Nà shíjiān biàn le ma?
B: 那时间变了吗？

Huìyì yào yáncháng liǎng tiān, huíchéng
M: 会议要延长两天，回程
jīpiào děi gǎi chéng xià Xīngqītiān de.
机票得改成下星期天的。

Hǎode. Xià Xīngqīsān fēi Xiānggǎng,
B: 好的。下星期三飞香港，
xià Xīngqītiān huílai, duì ma?
下星期天回来，对吗？

Duì. Hái yǒu, xià Xīngqītiān de
M: 对。还有，下星期天的
císhàn wǎnhuì wǒ jiù bú qù le,
慈善晚会我就不去了，
nǐ tì wǒ qù ba.
你替我去吧。

Hǎode.
B: 好的。

M: Bai Yun, can you go to the ticket office today to change an airline ticket for me?

B: OK. Is your ticket for the trip to Beijing next Wednesday? What's wrong with the ticket?

M: Our head office has changed the meeting site from Beijing to Hong Kong.

B: Is there any change in the time?

M: The meeting will be extended for another two days. The return ticket should be changed to next Sunday.

B: OK. So you want a ticket for next Wednesday to Hong Kong and Sunday back. Is that correct?

M: Yes. And I won't be able to go to the charity evening party next Sunday. Would you go to the party on my behalf?

B: Yes, sir.

Language notes

了(le) can be used to express a change. The structure "不(bù) + Verb + 了(le)" is used to indicate the change of an original positive state to a negative one.

e.g.

1.
Wǒ bú qù le.
我 不 去 了 。
I'm not going.

2.
Jiéhūn   yǐhòu,   Hǎilún   bù gōngzuò le.
结婚 以后 ，海伦 不 工作 了 。
Helen didn't work anymore after she got married.

"Verb + 成(chéng)" is used to indicate something has been changed from A to B.

e.g.

1.
Nà gǎi chéng xià ge Xīngqīwǔ,   xíng ma?
那 改 成 下个 星 期 五 ，行 吗 ？
Can I change it to next Friday?

2.
Wǒ de Yīngbàng dōu huàn chéng le   Rénmínbì.
我 的 英 镑 都 换 成 了 人 民 币 。
I've changed all my pounds into RMB.

3.
Dàwèi bǎ   "xuéxí" shuō chéng le   "xiūxi".
大 卫 把 "学 习" 说 成 了 "休 息" 。
David pronounces 学习(xuéxí) as 休息(xiūxi).

Useful words and expressions

English	Pinyin	Chinese	English	Pinyin	Chinese
had better	zuìhǎo	最好	picnic	yěcān	野餐
homesick	xiǎng jiā	想家	bookshop	shūdiàn	书店
sunny	qíng (tiān)	晴（天）	Japanese	Rìwén	日文
cloudy	yīn (tiān)	阴（天）	French	Fǎwén	法文
dye	rǎn	染	changed	biàn le	变了
massage	ànmó	按摩	change	gǎibiàn	改变

change into	biàn chéng/huàn chéng 变 成 / 换 成	sunny turning to cloudy	qíng zhuǎn duōyún / 晴 转 多云 / qíng dào duōyún 晴 到 多云

Tasks

Complete the following short dialogues.

1. At the ticket office of a cinema

Nín hǎo, wǒ xiǎng huàn yíxià piào.
A: 您好，我想 换 一下 票 。

Huàn shénme shíjiān de?
B: 换 什么 时间 的 ？

bā diǎn de, xíng ma?
A: _____ 八点 的 ， 行 吗 ？

Xíng. Dì sān pái de, kěyǐ ma?
B: 行 。 第 三 排 的 ， 可以 吗 ？

Zuìhǎo dì shí pái de.
A: 最 好 _____ 第 十 排 的 。

2. At an interview

Hěn duō wàiguórén lái Zhōngguó hòu, dōu hěn xiǎng jiā, nǐ ne?
A: 很 多 外 国 人 来 中 国 后 ， 都 很 想 家 ， 你 呢 ？

Gāng lái de shíhou shì hěn xiǎng, xiànzài yǐjīng xiǎng.
B: 刚 来 的 时 候 是 很 想 ， 现 在 已 经 ____ 想 ____ 。

Wèishénme ne?
A: 为 什么 呢 ？

Yīnwèi rènshi le hěn duō xīn péngyou.
B: 因 为 认识 了 很 多 新 朋友 。

Xǐhuan Zhōngguó ma?
A: 喜欢 中 国 吗 ？

Dāngrán, wǒ zhǐ dǎsuàn lái Zhōngguó
B: 当 然 ， _____ 我 只 打算 来 中 国

bàn nián, wǒ xiǎng zài yáncháng yì nián.
半 年 ， _____ 我 想 再 延 长 一 年 。

Look and say.

Use expressions such as				
yuánlái 原来	gāngcái 刚才	xiànzài 现在	biàn chéng 变 成	rǎn chéng 染 成

yīn tiān   qíng tiān   qíng zhuǎn duōyún
阴 天   晴 天   晴 转 多 云

Create conversations according to the following situations.

1. Wang Juan and Amy discussed their travel plans, and Amy has changed her mind.

2. Helen was scheduled to have a massage on Saturday morning, but some business stopped her from going. She called the massage parlour to change the time.

3. David decides not to go on a picnic this weekend. Wang Ning is very surprised and asks him why.

Listen and do the following exercises.

1. Choose the correct answer to the questions.

(in a bookshop)

(1) Where does this dialogue probably happen?

      bówùguǎn   lǚxíngshè   huǒchē zhàn   shūdiàn
a. 博物馆   b. 旅行社   c. 火车站   d. 书店

(2) What kind of book does the man want to buy?

    Zhōngwén shū   Rìwén shū   Yīngwén shū   Fǎwén shū
a. 中文 书   b. 日文书   c. 英文 书   d. 法文书

2. Decide whether the following sentences are true or false according to the dialogue.

(in the company)

(1) Amy delayed the wedding because her parents cannot get here this month. ( )

(2) The man will change his ticket so as to attend Amy's wedding ceremony. ( )

Reading.

tiānqì zǎo zhīdào
天气早知道

| 今天 | 明天 | 后天 |

多云
25℃~32℃

多云转雷阵雨
23℃~35℃

晴转多云
26℃~35℃

Notes:

| duōyún **多云** cloudy | léizhènyǔ **雷阵雨** thundershower |
| zhuǎn **转** turn, change | qíng zhuǎn duōyún **晴 转 多云** sunny turning to cloudy |

Answer the questions according to the picture above.

1. On which day is it more prudent to bring an umbrella with you?
2. On which day is the temperature most variable?

Cultural tips

According to the regulations of the CAAC (General Administration of the Civil Aviation of China), passengers who want to change their bought flight tickets should make the request at least 48 hours prior to the flight's departure. Tickets can only be changed once otherwise the passenger cannot get a refund and will have to purchase a new one. Handling fees will be charged for any change of a flight ticket. In the event of delays, flight cancellations or other changes caused by an airline company, passengers can get a full refund.

Character writing

piào	piào	piào	piào	piào	piào	piào	piào	piào
票	票	票	票	票	票	票	票	票

wù	wù	wù	wù	wù	wù	wù	wù	wù
务	务	务	务	务	务	务	务	务

zhōng	zhōng	zhōng	zhōng	zhōng	zhōng	zhōng	zhōng	zhōng
中	中	中	中	中	中	中	中	中

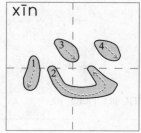

xīn	xīn	xīn	xīn	xīn	xīn	xīn	xīn	xīn
心	心	心	心	心	心	心	心	心

Chapter 24

I regret it, too

Learn to

- Show sympathy and express regret

- Say　真不巧 zhēn bù qiǎo
    太可惜了 tài kěxī le
    我也觉得很遗憾　wǒ yě juéde hěn yíhàn
    要是我小心点儿就好了 yàoshi wǒ xiǎoxīn diǎnr jiù hǎo le

New words and expressions

lóngzhōu 龙舟	dragon-boat		āi 唉	oh	
bǐsài 比赛	race		yíhàn 遗憾	pity	
hóng duì 红队	red team		jīhuì 机会	opportunity, chance	
huòdé 获得	win		pāi 拍	take (a photo)	
dì yī míng 第一名	first place (champion)		yóu 游	travel	
huá chuán 划船	rowing		Lí Jiāng 漓江	Lijiang River	
gǎn xìngqù 感兴趣	be interested in		diāo 掉	drop	
zhēn bù qiǎo 真不巧	unfortunately		lāo 捞	take it up from the water	

Dialogue

1 *Wang Ning (W) and David (D) are talking about a dragon-boat race held yesterday.*

Dàwèi, zuótiān de lóngzhōu bǐsài nǐ cānjiā le ma?
W: 大卫，昨天的龙舟比赛你参加了吗？

Méiyǒu, jiéguǒ zěnmeyàng?
D: 没有，结果怎么样？

Hóng duì huòdé le dì yī míng. Duì le, nǐ duì huá chuán nàme
W: 红队获得了第一名。对了，你对划船那么

gǎn xìngqù, zěnme méi cānjiā?
感兴趣，怎么没参加？

Gōngsī yǒu jí shì, qù bu liǎo.
D: 公司有急事，去不了。

Zhēn bù qiǎo.
W: 真不巧。

Shì a, xià cì zài cānjiā ba.
D: 是啊，下次再参加吧。

Ài, tài kěxī le.
W: 唉，太可惜了。

Wǒ yě juéde hěn yíhàn.
D: 我也觉得很遗憾。

W: David, did you take part in the dragon-boat race yesterday?
D: No, what happened?
W: The red team won the first place. You are very interested in rowing, why didn't you take part in it?
D: My company had some urgent work to do and I couldn't make it.
W: It's just unfortunate.
D: Yes, indeed, maybe next time.
W: What a pity.
D: I regret it, too.

2 *Wang Ning (W) meets David (D) by chance in the street.*

W: 大卫，好久不见，忙什么呢？
Dàwèi, hǎojiǔ bú jiàn, máng shénme ne?

D: 我去桂林旅游了。
Wǒ qù Guìlín lǚyóu le.

W: 是吗？听说桂林很漂亮。
Shì ma? Tīngshuō Guìlín hěn piàoliang.

D: 是的，有机会你也应该
Shìde, yǒu jīhuì nǐ yě yīnggāi
去看看。
qù kànkan.

W: 有照片吗？
Yǒu zhàopiàn ma?

D: 我拍了很多，可惜游漓江
Wǒ pāi le hěn duō, kěxī yóu Lí Jiāng
时，照相机掉水里了。
shí, zhàoxiàngjī diào shuǐ li le.

W: 后来呢？
Hòulái ne?

D: 捞上来了，不过照片都
Lāo shànglai le, búguò zhàopiàn dōu
没有了。
méiyǒu le.

W: 真可惜。
Zhēn kěxī.

D: 是啊，要是我小心点儿
Shì a, yàoshi wǒ xiǎoxīn diǎnr
就好了。
jiù hǎo le.

W: David, long time no see. What have you been up to?
D: I went traveling in Guilin.
W: Really? I heard Guilin is very beautiful.
D: Yes. You should go there when you have an opportunity.
W: Did you take any photos?
D: I took a lot, but it really is a pity that I dropped the camera into the river.
W: And then?
D: I managed to get it out, but the photos were ruined.
W: What a shame.
D: Yes, indeed. I wish I had been more careful.

Language notes

"要是……就(yàoshi... jiù)" is used to lead a conditional clause indicating supposition.

e.g.
1.
Yàoshi wǒ xiǎoxīn diǎnr jiù hǎo le.
要是 我 小 心 点 儿 就 好 了。
I wish I had been more careful.

2.
Yàoshi míngtiān yǒu shíjiān, jiù qù kàn diànyǐng.
要是 明 天 有 时 间, 就 去 看 电 影。
I will go to the movies if I have time tomorrow.

"Verb +不(bu) +了(liǎo)" is usually used to indicate that something will not take place or be completed.

e.g.
1.
Gōngsī yǒu jí shì, qù bu liǎo.
公 司 有 急 事, 去 不 了。
My company had some urgent work to do, and I couldn't make it.

2.
Wǒ méi mǎi dào piào, jīntiān zǒu bu liǎo.
我 没 买 到 票, 今 天 走 不 了。
I can't go today because I couldn't get a ticket.

Useful words and expressions

the Manchester United	Mànlián Duì 曼联队		vase	huāpíng 花瓶
originally	běnlái 本来		fiancée	wèihūnqī 未婚妻
Chelsea	Qiè'ěrxī Duì 切尔西队		feel sorry for	duì... gǎndào yíhàn 对……感到 遗憾
in the lead	lǐngxiān 领先		extremely sorry	fēicháng /hěn/zhēn yíhàn 非常 / 很 /真 遗憾
at last	zuìhòu 最后		a great pity	shízài kěxī 实在可惜
lose	shū 输		what a pity	tài yíhàn le 太 遗憾 了
bad luck	zhēn dǎoméi 真 倒霉			

Tasks

Complete the following short dialogues.

1. At the company

> Dàwèi, Xiǎo Wáng míngtiān yào lái Nánjīng.
> A: 大卫， 小王 明天 要来南京。
> Zhēn de ma? Wǒ wǔ nián méi jiàn tā le.
> B: 真 的吗？我五年 没见他了。
> Jǐ diǎn dào?
> 几点到？
> Xiàwǔ sì diǎn.
> A: 下午四点。
> Míngtiān xiàwǔ liǎng diǎn wǒ yào chū chāi, yòu jiàn bú dào
> B: 明天 下午两 点我要出差， _____， 又见不到
> tā le.
> 他了。

2. Talking about a football match

> Bèikè, zuótiān de bǐsài nǐ kàn le ma?
> A: 贝克， 昨天的比赛你看了吗？
> Kàn le, Mànlián Duì yíng le.
> B: 看了， 曼联队 赢了。
> Běnlái Qiē'ěrxī Duì lǐngxiān de, dàn zuìhòu
> A: 本来切尔西队领先的， 但最后
> què shū le.
> 却输了。
> Shì a
> B: 是啊， _____。

What do you say?

1. You are very busy and can't go with your friends tonight to eat roast duck, which you like best.

2. A friend whom you hadn't seen for some years had left just two minutes before you came back.

3. You have taken the driving test twice and failed both times because of minor mistakes.

4. On your way home you accidentally broke an expensive vase you had just bought.

Create conversations according to the following situations.

1. Xiao Wang invites Baker to his home for dumplings, but Baker feels very sorry that he can't make it because he is too busy.

2. Baker tells Bai Yun he has met a girl whom he likes, but she turns out to be his friend Xiao Wang's fiancée. Baker feels bad about it.

3. David is very busy, and he asks Xiao Wang to buy him a ticket for a Jackie Chan concert. Xiao Wang waits in the queue for a long time, but when his turn comes, the tickets have all been sold.

Listen and do the following exercises.

1. Decide whether the following sentences are true or false according to the dialogue.

   (Xiao Wang and Baker are talking about clothes)

   (1) Baker bought a black shirt yesterday. (　　)

   (2) Baker only washed the white shirt. (　　)

2. Complete the dialogue according to the recording.

   (Xiao Wang borrows a mobile phone from Baker)

   Bèikè,　　nǐ de shǒujī néng jiè wǒ yòng yíxià ma?
   A：贝克，你的手机能借我用一下吗？

   Ài!　Zuótiān diū zài chūzūchē shang le.
   B：唉！昨天丢在出租车上了。

   Bú shì xīn mǎi de ma?　Zhēn
   A：不是新买的吗？真 _____ ！

   Zuótiān wǒ　　　　bú zuò chūzūchē jiù
   B：昨天我 _____ 不坐出租车就 _____ 。

🐸 Reading.

xióngmāo yéye de yíhàn
熊猫爷爷的遗憾

Xióngmāo　　　Pànpan　　　　　de　yéye　　　jīntiān guò shēngrì,
熊 猫 (panda) 盼 盼 (the name) 的 爷爷 (grandpa) 今 天 过 生 日 ,

Pànpan hē bàba,　māma yìqǐ qù kānwàng　tā,　Pànpan wèn yéye
盼 盼 和 爸 爸 、 妈 妈 一 起 去 看 望 (see) 他 , 盼 盼 问 爷 爷

yǒu shénme yuànwàng.
有 什 么 愿 望 (desire)。

Yéye shuō: "Wǒ zhè yì shēng　　yǒu liǎng ge zuì dà de yíhàn:
爷 爷 说 : "我 这 一 生 (all one's life) 有 两 个 最 大 的 遗 憾 :

yī shì wǒ měitiān dōu shuì　hěn cháng shíjiān,　dàn háishi yǒu hēi yǎnquān;
一 是 我 每 天 都 睡 (sleep) 很 长 时 间 , 但 还 是 有 黑 眼 圈

　　　　　　èr shì wǒ zhào le hěn duō zhàopiàn, dàn dōu shì hēibái
(black eye); 二 是 我 照 了 很 多 照 片 , 但 都 是 黑 白 (black and

de. Suǒyǐ,　wǒ de yuànwàng shì: qù diào
white) 的 。 所 以 , 我 的 愿 望 是 : 去 掉 (remove)

wǒ de hēi yǎnquān,　zài pāi yì zhāng cǎisè　zhàopiàn."
我 的 黑 眼 圈 , 再 拍 一 张 彩 色 (colour) 照 片 。"

Answer the questions according to the passage.

Do you think Grandpa Panda's wishes can be realised? Why or why not?

Cultural tips

The Dragon-boat Festival (端午节 Duānwǔ Jié) is on the fifth day of the fifth month of each lunar year in China. It is one of China's biggest traditional festivals. On that day people participate in all kinds of activities celebrating the great poet Qu Yuan, who lived over 2,000 years ago.

Activities on that day include eating *zongzi* (a pyramid-shaped dumpling made of glutinous rice wrapped in bamboo or reed leaves), holding dragon-boat races and so on. Although the dragon-boats are said to be rowed, in fact each man has a short paddle and with a drummer on board to keep them paddling together. The crew of 12 men has to paddle very fast indeed to win a race.

Character writing

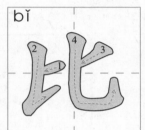

bǐ 比 比 比 比 比 比 比 比 比 比

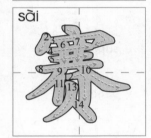

sài 赛 赛 赛 赛 赛 赛 赛 赛 赛

zhào 照 照 照 照 照 照 照 照 照

piàn 片 片 片 片 片 片 片 片 片

Chapter 25

I think it is better to cut it a bit shorter

Learn to

- Make a comparison

- Say   跟……一样 gēn ... yíyàng
         短一点儿更好 duǎn yìdiǎnr gèng hǎo
         菜市场没有超市干净 cài shìchǎng méiyǒu chāoshì gānjìng
         菜市场的菜比超市的新鲜 cài shìchǎng de cài bǐ chāoshì de xīnxiān

New words and expressions

huānyíng guānglín 欢迎 光临	welcome		chāoshì 超市	supermarket	
jiǎn 剪	cut		shūcài 蔬菜	vegetable	
tóufa 头发	hair		cài shìchǎng 菜市场	food market	
duǎn 短	short		gānjìng 干净	clean	
gèng 更	more		xīnxiān 新鲜	fresh	
xiàtiān 夏天	summer		pǐnzhǒng 品种	kind, variety	
xǐ 洗	wash		zhènghǎo 正好	coincidently, just	

Dialogue

1 *David (D) talks with a hairdresser (H) in a barbershop.*

Nǐ hǎo,　huānyíng guānglín.
H: 你 好 , 欢 迎 光 临 。

Wǒ xiǎng jiǎn tóufa.
D: 我 想 剪 头发 。

Hǎode,　qǐng zuò.　Jiǎn shénme yàng de?
H: 好 的 , 请 坐 。 剪 什 么 样 的 ?

Gēn yǐqián yíyàng.
D: 跟 以 前 一 样 。

(kàn le kàn) Wǒ juéde duǎn yìdiǎnr gèng hǎo.
H: (看 了 看) 我 觉 得 短 一 点 儿 更 好 。

Nǐ shuō de yě duì,　xiàtiān dào le.
D: 你 说 的 也 对 , 夏 天 到 了 。

Nà jiù xiān qù xǐ yíxià tóu ba.
H: 那 就 先 去 洗 一 下 头 吧 。

Hǎode.
D: 好 的 。

H: Hello, welcome.
D: I want to have my hair cut.
H: OK, sit down, please. How would you like to have it?
D: As usual.
H: (having a look at the hair) I think it is better to cut it a bit shorter.
D: You are right. Summer is coming.
H: Then please have your hair washed first.
D: OK.

② *Laura (L) meets Bai Yun (B) in the street near their homes.*

Láolā,   nǐ qù nǎr?
B: 劳拉，你去哪儿？

Wǒ qù chāoshì mǎi diǎnr shūcài.
L: 我去超市买点儿蔬菜。

Nǐ zěnme bū qù cài shìchǎng?
B: 你怎么不去菜市场？

Wǒ juéde cài shìchǎng méiyǒu
L: 我觉得菜市场 没有

chāoshì gānjìng.
超市 干净。

Dànshì cài shìchǎng de cài bǐ chāoshì de xīnxiān,
B: 但是 菜市场 的菜比超市 的新鲜，

pǐnzhǒng yě duō yìxiē.
品种 也多一些。

Shì ma?
L: 是吗？

Zhènghǎo wǒ yě qù mǎi cài,
B: 正好 我也去买菜，

nǐ gēn wǒ yìqǐ qù ba.
你跟我一起去吧。

Hǎode,   wǒ qù kànkan.
L: 好的，我去看看。

B: Laura, where are you going?
L: I am going to buy some vegetables at the supermarket.
B: Why don't you go to the food market?
L: I don't think the food market is as clean as the supermarket.
B: But the vegetables in the food market are fresher than those in the supermarket, and there is more variety.
L: Really?
B: I am also going to buy some vegetables. Shall we go together?
L: All right, I will come and have a look.

Language notes

"A+比(bǐ)+B+Adj." is used for comparison between A and B.

Càishìchǎng de cài bǐ chāoshì de xīnxiān.

e.g. 1. 菜市场的菜比超市的新鲜。
The vegetables in the food market are fresher than those in the supermarket.

Jīntiān bǐ zuótiān rè.

2. 今天比昨天热。
Today is hotter than yesterday.

The negative form of "A+比(bǐ)+B+Adj." is "A+没有(méiyǒu)+B+Adj.".

Càishìchǎng méiyǒu chāoshì gānjìng.

e.g. 1. 菜市场没有超市干净。
The food market is not as clean as the supermarket.

Jīntiān méiyǒu zuótiān rè.

2. 今天没有昨天热。
Today is not as hot as yesterday.

"一些(yìxiē)/多(duō)" can be used after the structure "A+比(bǐ)+B+Adj." to indicate little/much difference by comparison.

Càishìchǎng de cài bǐ chāoshì de xīnxiān, pǐnzhǒng yě duō yìxiē.

e.g. 1. 菜市场的菜比超市的新鲜，品种也多一些。
The vegetables in the food market are fresher than those in the supermarket, and there is more variety.

Zhège chāoshì de rén bǐ nàge chāoshì de duō yìdiǎnr.

2. 这个超市的人比那个超市的多一点儿。
There are somewhat more people in this supermarket than in that one.

Zhège dàxué de xuésheng bǐ nàge dàxué de duō duō le.

3. 这个大学的学生比那个大学的多多了。
There are far more students in this university than in that one.

Useful words and expressions

the Yangtze River	Cháng Jiāng 长 江	fat/thin	pàng / shòu 胖 / 瘦
the Yellow River	Huáng Hé 黄 河	sweet/salty	tián / xián 甜 / 咸
kilometre	gōnglǐ 公 里	pizza	bǐsà 比 萨
bread	miànbāo 面 包	(jianbing) pancake	jiānbing 煎 饼
light/heavy	qīng / zhòng 轻 / 重	this time	zhè cì 这 次
fast/slow	kuài / màn 快 / 慢	last time	shàng cì 上 次
far/near	yuǎn / jìn 远 / 近	white wine	bái pútaojiǔ 白 葡 萄 酒
cold/hot	lěng / rè 冷 / 热	red wine	hóng pútaojiǔ 红 葡 萄 酒

Tasks

Complete the following short dialogues.

1. On the train

A：
Dàwèi, nǐ kàn, zhè jiù shì Huáng Hé.
大卫，你看，这就是黄河。

B：
Huáng Hé shì Zhōngguó zuì cháng de hé ma?
黄河是中国最长的河吗？

A：
Bú shì, Cháng Jiāng shì Zhōngguó dì yī dà hé,
不是，长江是中国第一大河，

Huáng Hé gèng cháng.
_____黄河更长。

Shì ma?
B：是吗？

Cháng Jiāng liùqiān sānbǎi gōnglǐ,　Huáng Hé wǔqiān sìbǎi liùshísì gōnglǐ,
A：长江　　　6 300　公里，黄河　　　5 464　公里，

Cháng Jiāng bǐ Huáng Hé cháng
长江　　比黄河长＿＿＿＿＿。

2. In the street

Xiǎo Wáng, wǒmen qù mǎi miànbāo ba?
A：小王，我们去买面包吧？

Hǎo a,　　qù　nǎr?
B：好啊，去哪儿？

Qù chāoshì duìmiàn de nà jiā ba?　Nà jiā　　　　　piányi.
A：去超市对面的那家吧？那家＿＿＿＿＿便宜。

Wǒ xǐhuan gōngsī ménkǒu de zhè yì jiā,　　jiàgé　　　　　nà jiā
B：我喜欢公司门口的这一家，价格＿＿＿＿＿那家

yòu hǎochī.
＿＿＿＿＿，又好吃。

Look and say.

Use words and expressions such as

bǐ	méiyǒu	bǐ ...	yìdiǎnr / yìxiē / duō le
比	没有	比 ……一点儿 / 一些 / 多了	

gēn ... chàbuduō　　　　　gēn ... yíyàng
跟 ……差不多　　　　跟 ……一样

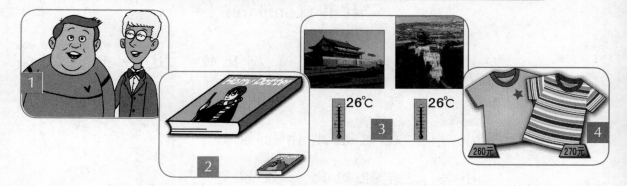

What do you say?

1. You have tried dishes from different parts of China, and think the dishes in the south are sweeter, while those in the north are saltier.
2. You are very fond of pizza, but now, you think Chinese jianbing is more tasty than pizza.

3. You tell your friend about the population of China. China's population is 1.3 billion which is more than that of America.

Listen and do the following exercises.

1. Answer the following questions.

   (in the company)

   (1) How is Wang Ning feeling now?
   (2) Who is healthier, Wang Ning or Xiao Zhang?

2. Complete the dialogue according to the recording.

   (in a pub)

   Xiǎo Wáng, hē bái pútaojiǔ   háishi hóng pútaojiǔ?
   A：小 王， 喝 白 葡 萄 酒 还 是 红 葡 萄 酒？
   Bái de ba.   Bái de   hóng de
   B：白 的 吧。 白 的 ＿＿＿＿ 红 的 ＿＿＿＿。
   Wǒ juéde bái de   hóng de hǎo hē.
   A：我 觉 得 白 的 ＿＿＿＿红 的 好 喝。
                    ba.
   B：＿＿＿＿吧。

Reading.

bǐjiāo
比 较 (compare)

Xiǎo Míng hē Xiǎo Huá fēicháng xǐhuan bǐjiāo.   Zhè yì tiān liǎng rén yòu
小 明 和 小 华 非 常 喜 欢 比 较。 这 一 天 两 人 又

kāishǐ   bǐjiāo le!
开 始 (begin) 比 较 了 !

Xiǎo Míng: "Wǒ jiějie bǐ nǐ jiějie hǎo!"
小 明 :"我 姐 姐 比 你 姐 姐 好 !"

Xiǎo Huá: "Wǒ jiějie bǐ nǐ jiějie hǎo!"
小 华 :"我 姐 姐 比 你 姐 姐 好 !"

Xiǎo Míng: "Wǒ gēge bǐ nǐ gēge hǎo!"
小 明 :"我 哥 哥 比 你 哥 哥 好 !"

Xiǎo Huá: "Wǒ gēge bǐ nǐ gēge hǎo!"
小 华 :"我 哥 哥 比 你 哥 哥 好 !"

Xiǎo Míng: "Wǒ bàba bǐ nǐ bàba hǎo!"
小明："我爸爸比你爸爸好！"

Xiǎo Huá: "Wǒ bàba bǐ nǐ bàba hǎo!"
小华："我爸爸比你爸爸好！"

Xiǎo Míng: "Wǒ māma bǐ nǐ māma hǎo!"
小明："我妈妈比你妈妈好！"

Xiǎo Huá xiǎng le yíxià, huídá shuō: "Nǐ shuō de méi cuò!
小华想了一下，回答 (answer)说："你说的没错！

Wǒ bàba yě shuō nǐ māma bǐ wǒ māma hǎo!"
我爸爸也说你妈妈比我妈妈好！"

Answer the question according to the passage.

Whose mother does Xiao Hua think is better?

Cultural tips

With China's fast social and economic development, there has been an annual increase of more than 800 words in the Chinese language during the past two decades. The latest Modern Chinese Dictionary published in China has added more than 6,000 entries.

Take "~吧(bā)" as an example. There used to be only the word "酒吧(jiǔbā)" in the Chinese vocabulary, but now a number of new words with the suffix "~吧(bā)" have appeared in daily communication, such as "网吧(wǎngbā)" (Internet bar), "话吧(huàbā)" (telephone bar), "陶吧(táobā)" (pottery bar), "茶吧(chábā)" (tea bar), "冰吧(bīngbā)" (ice-cream bar), "书吧(shūbā)" (book bar), "玩吧(wánbā)" (fun bar), "水吧(shuǐbā)" (water bar), etc. "吧(bā)" here means "place".

Character writing

huān	huān	huān	huān	huān	huān	huān	huān	huān
欢	欢	欢	欢	欢	欢	欢	欢	欢

yíng	yíng	yíng	yíng	yíng	yíng	yíng	yíng	yíng
迎	迎	迎	迎	迎	迎	迎	迎	迎

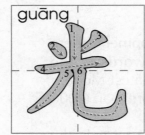

guāng	guāng	guāng	guāng	guāng	guāng	guāng	guāng	guāng
光	光	光	光	光	光	光	光	光

lín	lín	lín	lín	lín	lín	lín	lín	lín
临	临	临	临	临	临	临	临	临

cài	cài	cài	cài	cài	cài	cài	cài	cài
菜	菜	菜	菜	菜	菜	菜	菜	菜

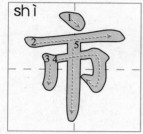

shì	shì	shì	shì	shì	shì	shì	shì	shì
市	市	市	市	市	市	市	市	市

chǎng	chǎng	chǎng	chǎng	chǎng	chǎng	chǎng	chǎng	chǎng
场	场	场	场	场	场	场	场	场

Revision 2

I. Complete the following short dialogues with the words or expressions that you have learned.

1.
   Shíjiān bù zǎo le.
   A: 时间不早了。_____!
   Xiànzài jǐ diǎn?
   B: 现在几点?
   Liù diǎn shí fēn.
   A: 六点十分。
   Bié   Lái de jí.
   B: 别_____。来得及。

2.
   Tīngshuō Wáng jīnglǐ shēngbìng zhù yuàn le?
   A: 听说 王 经理 生病 住院了?
                    ma?
   B: _____吗?
   Tā bàngōngshì de rén shuō de.
   A: 他办公室的人说的。
   Zhēn bù gǎn   Tā shēntǐ kàn qǐlai tǐng hǎo de.
   B: 真 不敢_____。他身体看起来挺好的。

3.
   Zhōumò wǎnshang qù jiǔbā zěnmeyàng?
   A: 周末 晚上去酒吧怎么样?
      Wǒ
   B: 我_____。
   Bái Yún néng lái ma?
   A: 白云 能来吗?
   Wǒ xiǎng tā yídìng   lái.
   B: 我 想她一定_____来。

4.
   Xiànzài jǐ diǎn le?
   A: 现在几点了?
   Wǒ wàng le dài shǒubiǎo,   liǎng diǎn bàn le ba.
   B: 我忘了戴手表,_____两点半了吧。
   Liǎng diǎn bàn le?   Wǒ gāi qù jīchǎng jiē jīnglǐ le.
   A: 两 点半了?我该去机场接经理了。
         dài bǎ sǎn,   yào xià yǔ.
   B: _____带把伞,_____要下雨。

5.
   Kuài diǎnr,   yǎnchànghuì liù diǎn jiù kāishǐ le.
   A: 快点儿, 演唱会 六点就开始了。

238

Nǐ jì cuò le,   liù diǎn,   qī diǎn.
B: 你 记 错 了 ，＿＿＿六 点 ，＿＿＿七 点 。

6.   Xiǎo Wáng, nǐ gāng mǎi de zhàoxiàngjī ne?
A: 小 王 ，你 刚 买 的 照 相 机 呢 ？
    Zuótiān diū le.
B: 昨 天 丢 了 。

A: ＿＿＿＿＿＿＿＿＿＿＿＿。
    Shì ya,   wǒ xiǎoxīn diǎnr   hǎo le.
B: 是 呀 ，＿＿＿我 小 心 点 儿 ＿＿＿好 了 。

7.   Xiǎo Wáng, zhè jiàn chènshān zěnmeyàng?
A: 小 王 ，这 件 衬 衫 怎 么 样 ？
        báisè de nà jiàn hǎo kàn.
B: ＿＿＿＿＿白 色 的 那 件 好 看 。
    Shì ma?   Nà jiù mǎi báisè de ba.
A: 是 吗 ？ 那 就 买 白 色 的 吧 。
    Búguò báisè de   zhè jiàn guì.
B: 不 过 白 色 的 ＿＿＿＿＿这 件 贵 。

II. How do you express yourself in the following situations?

8. Your friend hasn't gotten used to life in China, since she has not been here long. You try to comfort her.

9. You find your classmates who have learned Chinese for just a year are on television performing a Chinese play. You call them to offer your congratulations.

10. Your colleague asks you whether you can finish the work the manager has assigned to you and you tell him that you are not so sure.

11. During a trip to Lijiang in Yunnan Province, you find a picture with some Naxi characters and you guess these words mean "Have a safe journey".

12. Helen reads "中国银行(Zhōngguó Yínháng)" as "中国很行(Zhōngguó hěn xíng)" and you correct her.

13. You recommend this pub to your friend, as you think this one is the best.

III. Create conversations according to the following situations.

14. David asked Bai Yun to tell Wang Ning that he cannot play golf with him this weekend, but Bai Yun forgot. Wang Ning was disappointed that he didn't see David when he arrived at the golf course. Later, Bai Yun called Wang Ning to say sorry.

15. Helen wants to make a webpage, but she is not very good at it. Bai Yun helps her to solve the problem. Helen is very pleased and thanks Bai Yun profusely. Bai Yun replies very humbly.

16. David tells Wang Ning that he wants to go to Harbin although it's very cold there in the winter. Wang Ning thinks it is a good idea.

17. You go to collect your shirt at the dry cleaning shop, but the shop assistant gives you a jumper instead.

18. Billy booked a tennis court for this Saturday, but now he cannot go as he has to attend an important meeting. He calls the court administrator to change the time.

Ⅳ. Answer the questions according to the picture.

19. What should the young man say?

20. How much was it to develop four six-inch photos originally? How much is it now?

21. What does the weather forecast show?

22. Which place is more convenient for Amy to buy food? Why?

Ⅴ. Use different ways to describe the situations below.

23. Your friend has lost her/his purse, and is very upset. You try to comfort her/him.

24. You take the wrong suitcase by mistake at the airport and you apologize to the owner.

25. Your friend tells you that he/she can drink ten bottles of beer and you doubt it.

26. Your friend asks you whether you can get a ticket for a Jackie Chan concert and you tell him you certainly can.

27. Bai Yun tells you the meeting is postponed to tomorrow and you pass on a message to Wang Ning about the time change.

28. You cannot attend your friend's wedding ceremony and you make an apology to her/him.

Transcript for Listening Practice

Chapter 1

(zài dà jiē shang)
1.（在 大 街 上）

　　Dàwèi,　liǎng ge yuè bú jiàn le,　hái hǎo ma?
A: 大卫，两个月不见了，还好吗？

　　Hěn hǎo.　Xièxie.
B: 很好。谢谢。

　　Nǐ zài zhèr　xíguàn le ma?
A: 你在这儿习惯了吗？

　　Hái bú tài　xíguàn.
B: 还不太习惯。

(zài gōngyù ménkǒu)
2.（在 公 寓 门 口）

　　Wáng Níng, Wáng Níng!
A: 王宁，王宁！

　　Àimǐ　a,　huílai la!
B: 艾米啊，回来啦！

　　Ǹg,　hǎo cháng shíjiān bú jiàn le,　gōngzuò máng ma?
A: 嗯，好长时间不见了，工作忙吗？

　　Hái kěyǐ,　nǐ zuìjìn guò de zěnmeyàng?
B: 还可以，你最近过得怎么样？

　　Mǎmǎhūhū.
A: 马马虎虎。

Chapter 2

(zài bīnguǎn)
1.（在 宾 馆）

　　Xiǎo Wáng, nǐ xiànzài yǒu shíjiān ma?
A: 小王，你现在有时间吗？

　　Yǒu shénme shìr,　Xiǎo Zhāng?
B: 有什么事儿，小张？

Yǒu kòng de huà,　lái wǒ fángjiān zuòzuo ba．
A: 有 空 的话，来 我 房 间 坐 坐 吧。

Hǎo a,　wǒ xǐ le zǎo jiù qù．
B: 好 啊，我 洗 了 澡 就 去。

Hǎode．
A: 好 的。

(gōngsī xià bān hòu)
2. (公 司 下 班 后)

Xiǎo Lǐ,　wǒmen yìqǐ qù yóu yǒng ba?
A: 小 李，我 们 一 起 去 游 泳 吧？

Shízài bàoqiàn,　wǒ yǒudiǎnr bù shūfu．
B: 实 在 抱 歉，我 有 点 儿 不 舒 服。

Shì ma? Nà wǒ sòng nǐ huí jiā ba．
A: 是 吗？那 我 送 你 回 家 吧。

Xièxie nǐ,　wǒ zìjǐ kěyǐ．
B: 谢 谢 你，我 自 己 可 以。

Chapter 3

(zài bàngōngshì)
1. (在 办 公 室)

Zhège Xīngqītiān zuò le shénme?
A: 这 个 星 期 天 做 了 什 么？

Shàngwǔ zài jiā li,　xiàwǔ xiān qù mǎi le yì běn shū,　ránhòu qù le tóngshì jiā.
B: 上 午 在 家 里，下 午 先 去 买 了 一 本 书，然 后 去 了 同 事 家。

Nǐ zěnme guò de?
你 怎 么 过 的？

Bié tí le．
A: 别 提 了。

Zěnme le?
B: 怎 么 了？

Xiàwǔ wǒ hé háizi qù chāoshì mǎi dōngxi,　háizi zǒu diū le．
A: 下 午 我 和 孩 子 去 超 市 买 东 西，孩 子 走 丢 了。

Hòulái ne?
B: 后 来 呢？

Hòulái wǒ zài cèsuǒ li zhǎo dào le tā．
A: 后 来 我 在 厕 所 里 找 到 了 他。

(zài diànyǐngyuàn)
2.（在 电 影 院）

Wǒmen kàn zhège diànyǐng zěnmeyàng?
A: 我 们 看 这 个 电 影 怎 么 样？

Wǒ yǐjīng kànguo le.
B: 我 已 经 看 过 了。

Á, shénme shíhou kàn de?
A: 啊，什 么 时 候 看 的？

Shàng ge Xīngqīliù kàn de.
B: 上 个 星 期 六 看 的。

Nà wǒmen jīntiān kàn shénme ne?
A: 那 我 们 今 天 看 什 么 呢？

Kàn nàge ba.
B: 看 那 个 吧。

Chapter 4

（Àimǐ zài péngyou jiā zuò kè）
1.（艾 米 在 朋 友 家 做 客）

Àimǐ, zěnme le?
A: 艾 米，怎 么 了？

Wǒ bìxū zǒu le, wǒ nán péngyou yào wǒ liù diǎn qián huí jiā.
B: 我 必 须 走 了，我 男 朋 友 要 我 六 点 前 回 家。

Méi shìr, zài zuò yíhuìr ba.
A: 没 事 儿，再 坐 一 会 儿 吧。

Bù xíng a, wǎn le tā huì bù gāoxìng de, wǒ děi zǒu le.
B: 不 行 啊，晚 了 他 会 不 高 兴 的，我 得 走 了。

Hǎo ba.
A: 好 吧。

(zài diànyǐngyuàn)
2.（在 电 影 院）

Duìbuqǐ, xiǎojiě.
A: 对 不 起，小 姐。

Shénme shìr?
B: 什 么 事 儿？

Qǐng nǐ xiǎo shēng diǎnr, hǎo ma? Wǒ tīng bú jiàn diànyǐng li de rén shuō de huà le.
A: 请 你 小 声 点 儿，好 吗？我 听 不 见 电 影 里 的 人 说 的 话 了。

Bù hǎoyìsi.
B: 不 好 意 思。

244

Chapter 5

(zài gōngsī, Dàwèi zhèng yào chūfā qù dùjià)

1. （在公司，大卫正要出发去度假）

Wǒ gāi zǒu le, sān diǎn de fēijī.

A: 我该走了，三点的飞机。

Dàwèi, nǐ de hùzhào.

B: 大卫，你的护照。

Ò, chà diǎnr wàng le.

A: 哦，差点儿忘了。

Dào nǎr bié wàng le gěi wǒmen jì míngxìnpiàn.

B: 到那儿别忘了给我们寄明信片。

Méi wèntí.

A: 没问题。

Yílù píng'ān!

B: 一路平安！

(zài yàofáng)

2. （在药房）

Xiānsheng, nǐ de yào.

A: 先生，你的药。

Qǐngwèn zěnme chī?

B: 请问 怎么吃？

Hóngsè de hé lánsè de dōu shì fàn qián chī.

A: 红色的和蓝色的都是饭前吃。

Ò, nà zhè zhǒng lǜsè de ne?

B: 哦，那这种绿色的呢？

Fàn hòu chī. Bié wàng le!

A: 饭后吃。别忘了！

Hǎode.

B: 好的。

Chapter 6

(zài yínháng)

1. （在银行）

Jīntiān zěnme zhème màn!

A: 今天怎么这么慢！

Shì a, wǒ yǐjīng děng le bàn ge xiǎoshí le.

B: 是啊，我已经等了半个小时了。

（duì yíngyèyuán） Xiǎojiě,　néng bu néng kuài yìdiǎnr?
A:（对营业员）小姐，能不能 快一点儿？

Duìbuqǐ,　jīntiān diànnǎo yǒu wèntí.
C: 对不起，今天电脑有问题。

（jǐ ge rén yuē hǎo zì jià chē qù jiāoyóu,　zài Bái Yún jiā ménkǒu děng tā）
2.（几个人约好自驾车去郊游，在白云家门口 等她）

Bái Yún ne?
A: 白云呢？

Hái zài lóu shang zhǔnbèi ne!
B: 还在楼上 准备呢！

Ràng tā kuài diǎnr xià lai,　chē mǎshàng jiù yào lái le.
A: 让 她快点儿下来，车马上 就要来了。

（duì Bái Yún）Bái Yún,　kuài diǎnr!
B:（对白云）白云，快点儿！

Bú yào cuī wǒ le,　wǒ mǎshàng jiù hǎo.
C: 不要催我了，我 马上 就好。

Chapter 7

（zài fàndiàn）
1.（在饭店）

Zhēn hǎochī,　wǒ hái xiǎng zài chī diǎnr!
A: 真好吃，我还 想再吃点儿！

Wǒ juéde bù hǎochī!
B: 我觉得不好吃！

Wèishénme?
A: 为什么？

Zhèr de cài tài là le,　wǒ bù xǐhuan.
B: 这儿的菜太辣了，我不喜欢。

Nà xià cì wǒmen diǎn bú là de.
A: 那下次我们点不辣的。

（zài jīnglǐ bàngōngshì）
2.（在经理办公室）

Nǐ hǎo, qǐngwèn zhè shì jīnglǐ bàngōngshì ma?
A: 你好，请问这是经理办公室吗？

Shì,　nǐ yǒu shénme shìr?
B: 是，你有什么事儿？

Tài bù xiànghuà le!

A: 太不像话了！

Zěnme le?

B: 怎么了？

Wǒ fángjiān de diànhuà huài le liǎng tiān le, wǒ shuō le hǎo jǐ cì yě méi rén lái

A: 我房间的电话坏了两天了，我说了好几次也没人来

xiūlǐ, zěnme huí shìr?

修理，怎么回事儿？

Zhēn duìbuqǐ, wǒ mǎshàng pài rén qù kànkan.

B: 真对不起，我马上派人去看看。

Chapter 8

(zài gōngsī)

1. （在公司）

Jīn wǎn yìqǐ chī fàn, hǎo bu hǎo?

A: 今晚一起吃饭，好不好？

Méi wèntí.

B: 没问题。

Nǐ kàn qù kǎoyā diàn, háishi pángbiān de nà jiā fàndiàn?

A: 你看去烤鸭店，还是旁边的那家饭店？

Háishi kǎoyā diàn ba, nǐ kàn zěnmeyàng?

B: 还是烤鸭店吧，你看怎么样？

Hǎo a.

A: 好啊。

(dǎ diànhuà)

2. （打电话）

Xiǎo Wáng, nǐ kàn wǒmen shénme shíhou qù Běijīng?

A: 小王，你看我们什么时候去北京？

Xīngqīwǔ hǎo bu hǎo?

B: 星期五好不好？

Hǎode, néng bu néng ràng Xiǎo Zhāng yě qù?

A: 好的，能不能让小张也去？

Dāngrán kěyǐ.

B: 当然可以。

Chapter 9

1. （在饭店）
(zài fàndiàn)

> Nǐ zhīdào Wáng Níng zuìjìn wèishénme bù gāoxìng ma?

A: 你 知 道 王 宁 最 近 为 什 么 不 高 兴 吗 ？

> Kěnéng shì yīnwèi nǚ péngyou de shìqing.

B: 可 能 是 因 为 女 朋 友 的 事 情 。

> Zěnme le?

A: 怎 么 了 ？

> Tā nǚ péngyou mǎshàng yào qù Yīngguó gōngzuò sān nián.

B: 他 女 朋 友 马 上 要 去 英 国 工 作 三 年 。

> Zhēn de ma ?

A: 真 的 吗 ？

> Dàwèi gàosu wǒ de.

B: 大 卫 告 诉 我 的 。

2. （在马路上）
(zài mǎlù shang)

> Qǐngwèn, qù gōng'ānjú zěnme zǒu?

A: 请 问 ， 去 公 安 局 怎 么 走 ？

> Nǐ cóng zhèr yìzhí wǎng nán zǒu, zài dì èr ge hónglǜdēng wǎng yòu guǎi,

B: 你 从 这 儿 一 直 往 南 走 ， 在 第 二 个 红 绿 灯 往 右 拐 ，

> mǎlù duìmiàn yǒu yí zuò báisè de dà lóu jiù shì.

马 路 对 面 有 一 座 白 色 的 大 楼 就 是 。

> Zǒu lù qù yuǎn ma?

A: 走 路 去 远 吗 ？

> Yǒudiǎnr yuǎn, kěyǐ zuò gōnggòng qìchē.

B: 有 点 儿 远 ， 可 以 坐 公 共 汽 车 。

> Zài nǎr zuò?

A: 在 哪 儿 坐 ？

> Jiù zài pángbiān. Zuò yī lù.

B: 就 在 旁 边 。坐 1 路 。

> Xièxie.

A: 谢 谢 。

Chapter 10

1. (在公寓门口)
(zài gōngyù ménkǒu)

Dàwèi, zhème wǎn le, nǐ yào qù nǎr?

A: 大卫，这么晚了，你要去哪儿？

Shì Wáng Níng a, wǒ qù wǎngbā, kànkan yǒu méiyǒu xīn de xìn.

B: 是王宁啊，我去网吧，看看有没有新的信。

Qù wǒ de fángjiān ba, wǒ nàr yǒu tái diànnǎo.

A: 去我的房间吧，我那儿有台电脑。

Hǎo, zhēn xiǎng yǒu tái zìjǐ de diànnǎo a!

B: 好，真想有台自己的电脑啊！

(Àimǐ hé Wáng Níng de duìhuà)

2. (艾米和王宁的对话)

Àimǐ, tīngshuō nǐ māma bìng le?

A: 艾米，听说你妈妈病了？

Shìde, wǒ hèn bu de mǎshàng jiù huí guó qù kànkan tā.

B: 是的，我恨不得马上就回国去看看她。

Xià ge xīngqī de lǚyóu nǐ bú qù le ma?

A: 下个星期的旅游你不去了吗？

Ài, yàoshi néng huàn shíjiān jiù hǎo le.

B: 唉，要是能换时间就好了。

Chapter 11

(Àimǐ zài péngyou jiā)

1. (艾米在朋友家)

Àimǐ, nǐ xǐhuan chī kǎoyā ma?

A: 艾米，你喜欢吃烤鸭吗？

Dāngrán xǐhuan le.

B: 当然喜欢了。

Wǒmen míngtiān yìqǐ qù chī ba.

A: 我们明天一起去吃吧。

Míngtiān ā? Míngtiān wǒ méi shíjiān.

B: 明天啊？明天我没时间。

Nà hòutiān ne?

A: 那后天呢？

Hòutiān méi wèntí.

B: 后天没问题。

Dàwèi zài hé péngyou liáotiān)

2. (大卫在和朋友聊天)

Dàwèi, míngtiān wǎnshang wǒmen zhǔnbèi qù jiǔbā, nǐ qù ma?

A: 大卫，明天 晚上 我们 准备 去 酒吧，你 去 吗？

Wǒ bù néng hé nǐmen yìqǐ qù le.

B: 我 不 能 和 你 们 一 起 去 了。

Zěnme, nǐ yǒu shìr?

A: 怎 么，你 有 事 儿？

Wǒ bàba míngtiān lái kàn wǒ, wǒ yào zài fángjiān li děng tā.

B: 我 爸 爸 明 天 来 看 我，我 要 在 房 间 里 等 他。

Nà hǎo ba.

A: 那 好 吧。

Xià cì wǒmen zài yìqǐ qù ba.

B: 下 次 我 们 再 一 起 去 吧。

Chapter 12

(zài shāngdiàn li)

1. (在 商 店 里)

Qǐngwèn, zhè zhǒng chènshān yǒu hóngsè de ma?

A: 请 问，这 种 衬 衫 有 红 色 的 吗？

Duìbuqǐ, wǒmen yǒu bái de, yǒu lǜ de, hái yǒu hēi de, méiyǒu hóng de.

B: 对 不 起，我 们 有 白 的，有 绿 的，还 有 黑 的，没 有 红 的。

Wǒ kànkan bái de hé lǜ de.

A: 我 看 看 白 的 和 绿 的。

Hǎode.

B: 好 的。

Bái de yǒudiǎnr xiǎo, lǜ de hái kěyǐ.

A: 白 的 有 点 儿 小，绿 的 还 可 以。

Nà nǐ jiù mǎi lǜ de ba, yě búcuò.

B: 那 你 就 买 绿 的 吧，也 不 错。

Hǎo, wǒ jiù mǎi zhè jiàn.

A: 好，我 就 买 这 件。

(Àimǐ zài péngyou jiā)

2. (艾 米 在 朋 友 家)

Àimǐ, nǐ hē diǎnr shénme?

A: 艾 米，你 喝 点 儿 什 么？

Wǒ hē chá.

B: 我 喝 茶。

Nǐ hěn xǐhuan hē chá ma?

A: 你 很 喜 欢 喝 茶 吗？

Shìde.

B: 是的。

Wèishénme?

A: 为什么？

Yī shì hěn hǎo hē, èr shì duì shēntǐ hǎo.

B: 一是很好喝，二是对身体好。

Zhēn de ma? Nà wǒ yě hē chá ba!

A: 真的吗？那我也喝茶吧！

Chapter 13

(zài chūzūchē shang)

1. (在出租车上)

Shīfu, bówùguǎn.

A: 师傅，博物馆。

Hǎode.

B: 好的。

Shīfu, zhè bú shì qù bówùguǎn de lù ba?

A: 师傅，这不是去博物馆的路吧？

Bú huì cuò de. Nǐ yǐqián láiguo Nánjīng?

B: 不会错的。你以前来过南京？

Sān nián qián láiguo. Méi xiǎng dào Nánjīng biànhuà zhème dà.

A: 三年前来过。没想到南京变化这么大。

(Dàwèi hé tóngshì liáo tiān)

2. (大卫和同事聊天)

Tīngshuō xiànzài mǎi fángzi bǐ yǐqián piányi le.

A: 听说现在买房子比以前便宜了。

Zhēn de ma? Wǒ méi tīngshuōguo.

B: 真的吗？我没听说过。

Wǒ gāng tīngshuō shí yě juéde qíguài.

A: 我刚听说时也觉得奇怪。

Nǐ xiǎng zài Zhōngguó mǎi fángzi?

B: 你想在中国买房子？

Bú shì, zhǐshì wènwen.

A: 不是，只是问问。

Chapter 14

(dǎ diànhuà)
1. (打电话)

Xiǎo Wáng, gāngcái gěi nǐ dǎ diànhuà, nǐ bú zài jiā.
A: 小 王 , 刚才给你打电话,你不在家。

Wǒmen qù yīyuàn le.
B: 我们去医院了。

Zěnme le?
A: 怎么了?

Nǚ'ér gǎnmào, fā le liǎng tiān shāo le.
B: 女儿感冒,发了两天烧了。

Bié dānxīn, hěn kuài jiù huì hǎo de.
A: 别担心,很快就会好的。

Yīshēng yě zhème shuō.
B: 医生 也这么说。

(zài fēijī chǎng)
2. (在飞机场)

Āiyā, wǒ de hùzhào wàng dài le.
A: 哎呀,我的护照 忘带了。

Zhēn de? Bié zháojí, zài zhǎozhao.
B: 真 的?别着急,再找找。

Shì méi dài, zěnme bàn ne?
A: 是 没带,怎么办呢?

Gěi nǐ xiānsheng dǎ ge diànhuà, ràng tā mǎshàng sòng lai.
B: 给你 先生打个电话,让他马上 送来。

Chapter 15

(zài cáifeng diàn)
1. (在裁缝店)

Bù hǎoyìsi, ràng nín jiǔ děng le.
A: 不好意思,让您久等了。

Bù yàojǐn.
B: 不要紧。

Zhè shì nín de, shìshi hé bu hé shēn?
A: 这是您的,试试合不合身?

Zuò de hǎoxiàng cháng le yìdiǎnr, nǐ kàn ne?
B: 做得好像 长了一点儿,你看呢?

Wǒ kànkan, ǹg, shì chāng le yìdiǎnr, zhēn bàoqiàn, wǒ bāng nín zài gǎi yíxià ba.
A: 我 看 看 ， 嗯 ， 是 长 了 一 点 儿 ， 真 抱 歉 ， 我 帮 您 再 改 一 下 吧 。

(zài bàngōngshì)
2. (在办公室)

Àimǐ, wǒ yào de nà jiàn wàitào nǐ dài lai le ma?
A: 艾 米 ， 我 要 的 那 件 外 套 你 带 来 了 吗 ？

Àiyā, yòu wàng le , zhēn bù hǎoyìsi.
B: 哎 呀 ， 又 忘 了 ， 真 不 好 意 思 。

Bú yàojǐn, gǎitiān zài gěi wǒ ba.
A: 不 要 紧 ， 改 天 再 给 我 吧 。

Wǒ míngtiān yídìng dài lai, bú huì wàng de.
B: 我 明 天 一 定 带 来 ， 不 会 忘 的 。

Kěshì míngtiān shì Xīngqīliù a.
A: 可 是 明 天 是 星 期 六 啊 。

Chapter 16

(Bái Yún kuājiǎng Dàwèi de Hànyǔ shuǐpíng)
1. (白云 夸奖 大卫的汉语水平)

Dàwèi, nǐ de Hànyǔ shuō de zhēn búcuò!
A: 大 卫 ， 你 的 汉 语 说 得 真 不 错 ！

Mǎmǎhūhū ba.
B: 马 马 虎 虎 吧 。

Xué le jǐ niān le?
A: 学 了 几 年 了 ？

Yì nián duō.
B: 一 年 多 。

Zài nǎr xué de?
A: 在 哪 儿 学 的 ？

Zhōngguó péngyou jiāo wǒ de.
B: 中 国 朋 友 教 我 的 。

(kèrén zài Àimǐ jiā chī fàn)
2. (客人在艾米家吃饭)

Àimǐ, jiǎozi de wēidào hǎo jí le!
A: 艾 米 ， 饺 子 的 味 道 好 极 了 ！

Zhēn de ma?
B: 真 的 吗 ？

Dāngrán! Nǐ zài nǎli mǎi de?
A: 当然！你在哪里买的？

Hāha, dōu shì wǒ zìjǐ zuò de.
B: 哈哈，都是我自己做的。

Nǐ kě zhēn yǒu liǎngxiàzǐ.
A: 你可真有两下子。

Guòjiǎng guòjiǎng.
B: 过奖 过奖。

Chapter 17

(liǎng ge tóngshì zài tánhuà)
1. (两个同事在谈话)

Liú xiǎojiě hái méi jié hūn ba?
A: 刘小姐还没结婚吧？

Tā háizi dōu liǎng suì le.
B: 她孩子都两岁了。

Zhēn de ma? Tā kàn shangqu zhǐ yǒu èrshíyī, èr suì.
A: 真的吗？她看上去只有二十一、二岁。

Zěnme kěnéng ne? Tā yǐjīng gōngzuò qī nián le.
B: 怎么可能呢？她已经工作 7 年了。

Wǒ cái bù xiāngxìn ne.
A: 我才不相信呢。

(lǚxíng huílai, A gěi péngyou kàn zhàopiàn)
2. (旅行回来，A给朋友看照片)

Nǐ kàn, zhè jiù shì Lìjiāng.
A: 你看，这就是丽江。

Zhēn de ma? Wǒ juéde shì Sūzhōu.
B: 真的吗？我觉得是苏州。

Zěnme kěnéng ne? Búguò Sūzhōu hé Lìjiāng dōu shì qiáo duō, shuǐ duō.
A: 怎么可能呢？不过苏州和丽江都是 桥多，水多。

Wǒ shuō de yě duì ba.
B: 我说得也对吧。

Chapter 18

(liǎng ge rén shāngliang zěnme qù Běijīng)
1. (两个人 商量 怎么去北京)

Míngtiān zuò fēijī qù Běijīng ba?
A: 明天坐飞机去北京吧？

Wǒ bù zànchéng.

B: 我 不 赞 成 。

Wèishénme?

A: 为 什 么 ？

Zuò huǒchē jiǔ ge xiǎoshí jiù dào le, yòu kuài yòu piānyi.

B: 坐 火车 9 个 小 时 就 到 了 ， 又 快 又 便 宜 。

Nà jiù tīng nǐ de ba.

A: 那 就 听 你 的 吧 。

(liǎng ge rén shāngliang qù nǎr dùjià)

2. (两 个 人 商 量 去 哪 儿 度 假)

Zhè cì wǒmen qù Hǎinán ba? Tīngshuō nàr hěn piàoliang.

A: 这 次 我 们 去 海 南 吧 ？ 听 说 那 儿 很 漂 亮 。

Wǒ fǎnduì, xiàtiān tài rè le.

B: 我 反 对 ， 夏 天 太 热 了 。

Nà qù Dàlián zěnmeyàng?

A: 那 去 大 连 怎 么 样 ？

Wǒ tóngyì. Dàlián xiàtiān hěn shūfu.

B: 我 同 意 。 大 连 夏 天 很 舒 服 。

Nà hǎo ba.

A: 那 好 吧 。

Chapter 19

(zài shùmǎ xiàngjī wéixiū diàn)

1. (在 数 码 相 机 维 修 店)

Nǐ hǎo, wǒ de shùmǎ xiàngjī cái mǎi le liǎng ge yuè jiù huài le.

A: 你 好 ， 我 的 数 码 相 机 才 买 了 两 个 月 就 坏 了 。

Wǒ kànkan.

B: 我 看 看 。

Zěnmeyàng, néng xiū hǎo ma?

A: 怎 么 样 ， 能 修 好 吗 ？

Méi wèntí, jǐ fēnzhōng jiù hǎo, qǐng shāo děng.

B: 没 问 题 ， 几 分 钟 就 好 ， 请 稍 等 。

Xiū hǎo le, nǐ kàn yíxià.

B: 修 好 了 ， 你 看 一 下 。

Tài hǎo le, xièxie nǐ!

A: 太 好 了 ， 谢 谢 你 ！

(zài bàngōngshì)

2. (在 办 公 室)

Fángjiān dìng hǎo le ma?

A: 房间　订好了吗？

Kǒngpà dìng bú dào le.

B: 恐怕　订不到了。

Zěnme le?

A: 怎么了？

Xiànzài shì Zhōngguó de Chūn Jié,　bù yídìng yǒu fángjiān.

B: 现在是　中国的春节，不一定有房间。

Méi shìr,　wǒ xiāngxìn yídìng néng dìng dào fángjiān.

A: 没事儿，我相信一定　能订到房间。

Nánshuō.

B: 难说。

Chapter 20

(zài bàngōngshì)

1. (在 办 公 室)

Nǐ qù nǎr le? Zěnme xiànzài cái lái?

A: 你去哪儿了？怎么现在才来？

Bié tí le,　chē huài le.

B: 别提了，车坏了。

Nǐmen dàshǐguǎn dǎ diànhuà zhǎo nǐ.

A: 你们大使馆打电话　找你。

Shénme shìr?

B: 什么事儿？

Bù zhīdào,　tāmen shuō ràng nǐ huí ge diànhuà.

A: 不知道，他们说　让你回个电话。

Hǎo,　wǒ mǎshàng dǎ. Xièxie.

B: 好，我马上打。谢谢。

(zài diàntī li)

2. (在 电 梯 里)

Àimǐ,　tīngshuō nǐ shàng ge xīngqī　cānjiā le yí ge hūnlǐ?

A: 艾米，听说你上个星期参加了一个婚礼？

Duì a.　Nǐ tīng shéi shuō de?

B: 对啊。你听谁说的？

Nǐ bú shì ràng Bái Yún tì　nǐ qǐngjià ma? Shì Zhōngguórén de hūnlǐ ma?

A: 你不是让白云替你请假吗？是中国人的婚礼吗？

256

Shì de.

B: 是 的 。

Zhēn xiǎng qù kànkan. Wǒ tīng biéren shuō, Zhōngguórén de hūnlǐ hěn yǒu yìsi.

A: 真 想 去 看看。我 听 别人 说，中国 人 的 婚礼 很 有 意思。

Duì.

B: 对 。

Chapter 21

(yí ge fùnǚ zài shāngdiàn bāng péngyou de háizi mǎi yīfu)

1. (一个 妇女 在 商店 帮 朋友 的 孩子 买 衣服)

Qǐngwèn, nín péngyou de háizi dàgài duō dà?

A: 请 问 ，您 朋友 的 孩子 大概 多 大 ?

Wǔ liù suì ba.

B: 五六 岁 吧 。

Zhǎng de bái ma?

A: 长 得 白 吗 ?

Tǐng bái de.

B: 挺 白 的 。

Wǒ kàn zhè jiàn hóngsè de hěn héshì.

A: 我 看 这 件 红色 的 很 合适 。

Nà jiù mǎi zhè jiàn ba.

B: 那 就 买 这 件 吧 。

(Dàwèi hé Bái Yún zài yìlùn Wáng Níng)

2. (大卫 和 白云 在 议论 王 宁)

Wáng Níng jīntiān zěnme le?

A: 王 宁 今天 怎么 了 ?

Kànyàngzi yǒudiǎnr bù gāoxìng.

B: 看 样子 有 点儿 不 高兴 。

Wǒmen zhōngwǔ dǎ ge diànhuà wènwen tā zěnmeyàng?

A: 我们 中午 打 个 电话 问问 他 怎么 样 ?

Bié wèn le, wǒ kàn tā kǒngpà bú huì shuō de.

B: 别 问 了 ，我 看 他 恐怕 不 会 说 的 。

Chapter 22

(dǎ diànhuà)

1. (打 电话)

Qǐngwèn, nǐmen tǐyùguǎn míngtiān jǐ diǎn kāimén?

A: 请 问 ，你们 体育馆 明天 几 点 开门 ?

Xiàwǔ liǎng diǎn.
B: 下午 两 点 。

Míngtiān bú shì zhōumò ma? Zěnme shàngwǔ bù kāimén?
A: 明天 不是周末吗？怎么上午不开门？

Míngtiān shì Xīngqīwǔ, bú shì zhōumò.
B: 明天 是星期五，不是周末。

Bù hǎoyìsi, wǒ nòng cuò le.
A: 不好意思，我弄错了。

(zài bàngōngshì)
2. (在办公室)

Zuótiān de yǎnchànghuì zěnmeyàng?
A: 昨天的 演唱会 怎么样？

Bú xiàng dàjiā shuō de nàme hǎokàn.
B: 不 像 大家说的那么好看。

Zhēn de ma? Wǒ jīntiān wǎnshang yào qù kàn ne.
A: 真 的吗？我今天 晚上要去看呢。

Bié qù le.
B: 别去了。

Bú shì wǒ xiǎng qù, shì wǒ de nán péngyou yǐjīng mǎi le piào le.
A: 不是我想去，是我的男 朋友已经买了票了。

Chapter 23

(zài shūdiàn)
1. (在书店)

Xiǎojiě, wǒ xiǎng bǎ zhè běn shū huàn chéng Yīngwén de.
A: 小姐，我想把这本书换 成 英文的。

Zěnme le?
B: 怎么了？

Wǒ mǎi de shíhou bù xiǎoxīn ná cuò le. Hànyǔ wǒ hái kàn bù dǒng ne.
A: 我买的时候不小心拿错了。汉语我还看不懂呢。

Ò, wǒ kànkan fāpiào. ... kěyǐ de. Nǐ zìjǐ qù ná yì běn ba.
B: 哦，我看看发票。……可以的。你自己去拿一本吧。

Xièxie.
A: 谢谢。

(zài gōngsī)
2. (在公司)

Tīngshuō Àimǐ de hūnlǐ gǎi chéng xià ge yuè le, shì ma?
A: 听说 艾米的婚礼改成 下个月了，是吗？